は　じ

JN001696

　技能検定は、労働者の有する技能を一定の基準によって検定し、　　公
証する国家検定制度であり、技能に対する社会一般の評価を高め、働く人々
の技能と地位の向上を図ることを目的として、職業能力開発促進法に基づい
て 1959 年（昭和 34 年）から実施されています。

　当研究会では、1975 年（昭和 50 年）から技能検定試験受検者の学習に資
するため、過去に出題された学科試験問題（1・2級）に解説を付して、「学
科試験問題解説集」を発行しております。

　このたびさらに、令和3・4・5年度に出題された学科試験問題、ならび
に令和5年度の実技試験問題（計画立案等作業試験は令和3・4・5年度を
収録）を「技能検定試験問題集（正解表付き）」として発行することになり
ました。

　本問題集が1級・2級の技能士を目指して技能検定試験を受検される多く
の方々にご利用いただき、大きな成果が上がることを祈念いたします。

令和6年4月

一般社団法人 雇用問題研究会

目　　次

技 能 検 定 の 概 要

1　技能検定試験の等級区分

技能検定試験は合格に必要な技能の程度を等級ごとに次のとおりに区分しています。

特　　　級：検定職種ごとの管理者又は監督者が通常有すべき技能及びこれに関する知
　　　　　　識の程度

1　　　級：検定職種ごとの上級の技能労働者が通常有すべき技能及びこれに関する知
　　　　　　識の程度

2　　　級：検定職種ごとの中級の技能労働者が通常有すべき技能及びこれに関する知
　　　　　　識の程度

3　　　級：検定職種ごとの初級の技能労働者が通常有すべき技能及びこれに関する知
　　　　　　識の程度

単一等級：検定職種ごとの上級の技能労働者が通常有すべき技能及びこれに関する知
　　　　　　識の程度

※これらの他に外国人実習生等を対象とした基礎級があります。

2　検定試験の基準

技能検定は、実技試験及び学科試験によって行われています。

実技試験は、実際に作業などを行わせて、その技量の程度を検定する試験であり、学科試験は、技能の裏付けとなる知識について行う試験です。

実技試験及び学科試験は、検定職種の等級ごとに、それぞれの試験科目及びその範囲が職業能力開発促進法施行規則により、また、その具体的な細目が厚生労働省人材開発統括官通知により定められています。

(1)　実技試験

実技試験は、実際に作業（物の製作、組立て、調整など）を行わせて試験する、製作等作業試験が中心となっており、検定職種の大部分のものについては、その課題が試験日に先立って公表されています。

試験時間は、1級、2級及び単一等級については原則として5時間以内、3級については3時間以内が標準となっています。

また、検定職種によっては、製作等作業試験の他、実際的な能力を試験するため、次のような判断等試験又は計画立案等作業試験が併用されることがあります。

① 判断等試験

判断等試験は、製作等作業試験のみでは技能評価が困難な場合又は検定職種の性格や試験実施技術等の事情により製作等作業試験の実施が困難な場合に用いられるもので、例えば技能者として体得していなければならない基本的な技能について、原材料、模型、写真などを受検者に提示し、判別、判断などを行わせ、その技能を評価する試験です。

② 計画立案等作業試験

製作等作業試験、判断等試験の一方又は双方でも技能評価が不足する場合に用いられるもので、現場における実際的、応用的な課題を、表、グラフ、文章などにより設問したものを受検者に提示し、計算、計画立案、予測などを行わせることにより技能の程度を評価する試験です。

(2) 学科試験

学科試験は、単に学問的な知識を試験するものではなく、作業の遂行に必要な正しい判断力及び知識の有無を判定することに主眼がおかれています。また、それぞれの等級における試験の概要は次表のとおりです。

この中で、真偽法は一つの問題文の正誤を解答する形式であり、五肢択一法及び四肢択一法は一つの問題文について複数の選択肢の中から一つを選択して解答する形式です。

■学科試験の概要

等級区分	試験の形式	問題数	試験時間
特　　級	五肢択一法	50 題	2 時間
1　　級	真偽法及び四肢択一法	50 題	1 時間 40 分
2　　級	真偽法及び四肢択一法	50 題	1 時間 40 分
3　　級	真偽法	30 題	1 時間
単一等級	真偽法及び四肢択一法	50 題	1 時間 40 分

3　技能検定の受検資格

技能検定を受検するには、原則として検定職種に関する実務の経験が必要で、その年数は職業訓練歴、学歴等により異なっています（別表1参照）。

この実務の経験の範囲には、現場での作業のみならず管理、監督、訓練、教育及び研究の業務や訓練又は教育を受けた期間が含まれます。

4 試験の実施日程

技能検定試験は職種ごとに前期、後期に分かれていますが、日程の概要は次のとおりです。

項	前 期	後 期
受付期間	4月上旬～中旬	10月上旬～中旬
実技試験	6月上旬～9月上旬 9月中旬～11月中旬※	12月上旬～翌年2月中旬
学科試験	8月下旬～9月上旬の日曜日 3級は7月上旬～中旬の日曜日	翌年1月下旬～2月上旬の日曜日
合格発表	10月上旬、3級は8月下旬 10月中旬～11月下旬※	翌年3月中旬

※暑熱対応のため延期する場合（造園職種・とび職種に限る）
・日程の詳細については都道府県職業能力開発協会（連絡先等は別表2参照）にお問い合わせ下さい。

5 技能検定の実施体制

技能検定は厚生労働大臣が定めた、実施計画に基づいて行うものですが、その実施業務は、厚生労働大臣、都道府県知事、中央職業能力開発協会、都道府県職業能力開発協会等の間で分担されており、受検の受付及び試験の実施については、都道府県職業能力開発協会が行っています。

6 技能検定試験受検手数料

技能検定試験の受検手数料は「実技試験：18,200円」及び「学科試験：3,100円」を標準額として、職種ごとに各都道府県で決定しています（令和6年4月1日現在、都道府県知事が実施する111職種）。

なお、25歳未満の在職者の方は、2級又は3級の実技試験の受検手数料が最大9,000円減額されます。詳しくは都道府県職業能力開発協会にお問い合わせ下さい。

7 技能検定の合格者

技能検定の合格者には、厚生労働大臣名（特級、1級、単一等級）又は都道府県知事名等（2級、3級）の合格証明が交付され、技能士と称することができます。

別表1

技能検定の受検に必要な実務経験年数一覧
（都道府県知事が実施する検定職種）

（単位：年）

受検対象者（※1）	特級 1級合格後	1級	1級 2級合格後	1級 3級合格後	2級（※6）	2級 3級合格後	3級（※6）	基礎級（※6）	単一等級
実務経験のみ		7			2		0 ※7	0 ※7	3
専門高校卒業 ※2 / 専修学校（大学入学資格付与課程に限る）卒業		6			0		0	0	1
短大・高専・高校専攻科卒業 ※2 / 専門職大学前期課程修了 / 専修学校（大学編入資格付与課程に限る）卒業		5			0		0	0	0
大学卒業（専門職大学前期課程修了者を除く）※2 / 専修学校（大学院入学資格付与課程に限る）卒業		4			0		0	0	0
専修学校 ※3 又は各種学校卒業（厚生労働大臣が指定したものに限る。）　800時間以上	5	6	2	4	0	0	0 ※8	0 ※8	1
〃　1600時間以上		5			0		0 ※8	0 ※8	1
〃　3200時間以上		4			0		0 ※8	0 ※8	1
短期課程の普通職業訓練修了 ※4 ※9　700時間以上		6			0		0 ※5	0 ※5	1
普通課程の普通職業訓練修了 ※4 ※9　2800時間未満		5			0		0	0	1
〃　2800時間以上		4			0		0	0	1
専門課程又は特定専門課程の高度職業訓練修了 ※4 ※9		3	1	2					
応用課程又は特定応用課程の高度職業訓練修了 ※9		1							
指導員養成課程の指導員養成訓練修了 ※9		1							
職業訓練指導員免許取得		1							
高度養成課程の指導員養成訓練修了 ※9		0	0	0	0				

※1：検定職種に関する学科、訓練科又は免許職種に限る。

※2：学校教育法による大学、短期大学又は高等学校と同等以上と認められる外国の学校又は他法令学校を卒業した者並びに独立行政法人大学改革支援・学位授与機構により学士の学位を授与された者は学校教育法に基づくそれぞれのものに準ずる。

※3：大学入学資格付与課程、大学編入資格付与課程及び大学院入学資格付与課程の専修学校を除く。

※4：職業訓練法の一部を改正する法律（昭和53年法律第40号）の施行前に、改正前の職業訓練法に基づく高等訓練課程又は特別高等訓練課程の養成訓練を修了した者は、それぞれ改正後の職業能力開発促進法に基づく普通課程の普通職業訓練又は専門課程の高度職業訓練を修了したものとみなす。また、職業能力開発促進法の一部を改正する法律（平成4年法律第67号）の施行前に、改正前の職業能力開発促進法に基づく専門課程の養成訓練を修了した者は、専門課程の高度職業訓練を修了したものとみなし、改正前の職業能力開発促進法に基づく普通課程の養成訓練又は職業転換課程の能力再開発訓練（いずれも800時間以上のものに限る。）を修了した者はそれぞれ改正後の職業能力開発促進法に基づく普通課程又は短期課程の普通職業訓練を修了したものとみなす。

※5：総訓練時間が700時間未満のものを含む。

※6：3級（前期又は後期の期間にかかわらず随時実施するものは除く。）の技能検定については、上記のほか、検定職種に関する学科に在学する者及び検定職種に関する訓練科において職業訓練を受けている者等も受検できる。また、工業高等学校に在学する者等であって、かつ、工業高等学校の教員等による検定職種に係る講習を受講し、当該講習の責任者から技能検定試験受検に際して安全衛生上の問題等がないと判定されたものも受検できる。また、基礎級の技能検定については技能実習生のみが、3級（前期又は後期の期間にかかわらず随時実施するものに限る。）は基礎級（旧基礎1級及び基礎2級を含む）に合格した者のみが、2級（前期又は後期の期間にかかわらず随時実施するものに限る。）は基礎級（旧基礎1級及び基礎2級を含む）及び当該検定職種に係る3級の実技試験に合格した者のみが、受検できる。

※7：検定職種に関し実務の経験を有する者について、受検を認めることとする。

※8：当該学校が厚生労働大臣の指定を受けたものであるか否かに関わらず、受検資格を付与する。

※9：職業能力開発促進法第92条に規定する職業訓練又は指導員訓練に準ずる訓練の修了者においても、修了した職業訓練又は指導員訓練の訓練課程に応じ、受検資格を付与する。

別表2　都道府県及び中央職業能力開発協会所在地一覧

(令和6年4月現在)

協　会　名	郵便番号	所　在　地	電話番号
北海道職業能力開発協会	003-0005	札幌市白石区東札幌5条1-1-2　北海道立職業能力開発支援センター内	011-825-2386
青森県職業能力開発協会	030-0122	青森市大字野尻字今田43-1　青森県立青森高等技術専門校内	017-738-5561
岩手県職業能力開発協会	028-3615	紫波郡矢巾町大字南矢幅10-3-1　岩手県立産業技術短期大学校内	019-613-4620
宮城県職業能力開発協会	981-0916	仙台市青葉区青葉町16-1	022-271-9917
秋田県職業能力開発協会	010-1601	秋田市向浜1-2-1　秋田県職業訓練センター内	018-862-3510
山形県職業能力開発協会	990-2473	山形市松栄2-2-1　県立山形職業能力開発専門校内3階	023-644-8562
福島県職業能力開発協会	960-8043	福島市中町8-2　福島県自治会館5階	024-525-8681
茨城県職業能力開発協会	310-0005	水戸市水府町864-4　茨城県職業人材育成センター内	029-221-8647
栃木県職業能力開発協会	320-0032	宇都宮市昭和1-3-10　栃木県庁舎西別館	028-643-7002
群馬県職業能力開発協会	372-0801	伊勢崎市宮子町1211-1	0270-23-7761
埼玉県職業能力開発協会	330-0074	さいたま市浦和区北浦和5-6-5　埼玉県浦和合同庁舎5階	048-829-2802
千葉県職業能力開発協会	261-0026	千葉市美浜区幕張西4-1-10	043-296-1150
東京都職業能力開発協会	101-8527	千代田区内神田1-1-5　東京都産業労働局神田庁舎5階	03-6631-6052
神奈川県職業能力開発協会	231-0026	横浜市中区寿町1-4　かながわ労働プラザ6階	045-633-5419
新潟県職業能力開発協会	950-0965	新潟市中央区新光町15-2　新潟県公社総合ビル4階	025-283-2155
富山県職業能力開発協会	930-0094	富山市安住町7-18　安住町第一生命ビル2階	076-432-9887
石川県職業能力開発協会	920-0862	金沢市芳斉1-15-15　石川県職業能力開発プラザ3階	076-262-9020
福井県職業能力開発協会	910-0003	福井市松本3-16-10　福井県職員会館ビル4階	0776-27-6360
山梨県職業能力開発協会	400-0055	甲府市大津町2130-2	055-243-4916
長野県職業能力開発協会	380-0836	長野市大字南長野南県町688-2　長野県婦人会館3階	026-234-9050
岐阜県職業能力開発協会	509-0109	各務原市テクノプラザ1-18　岐阜県人材開発支援センター内	058-260-8686
静岡県職業能力開発協会	424-0881	静岡市清水区楠160	054-345-9377
愛知県職業能力開発協会	451-0035	名古屋市西区浅間2-3-14　愛知県職業訓練会館内	052-524-2034
三重県職業能力開発協会	514-0004	津市栄町1-954　三重県栄町庁舎4階	059-228-2732
滋賀県職業能力開発協会	520-0865	大津市南郷5-2-14	077-533-0850
京都府職業能力開発協会	612-8416	京都市伏見区竹田流池町121-3　京都府立京都高等技術専門校2階	075-642-5075
大阪府職業能力開発協会	550-0011	大阪市西区阿波座2-1-1　大阪本町西第一ビルディング6階	06-6534-7510
兵庫県職業能力開発協会	650-0011	神戸市中央区下山手通6-3-30　兵庫勤労福祉センター1階	078-371-2091
奈良県職業能力開発協会	630-8213	奈良市登大路町38-1　奈良県中小企業会館2階	0742-24-4127
和歌山県職業能力開発協会	640-8272	和歌山市砂山南3-3-38　和歌山技能センター内	073-425-4555
鳥取県職業能力開発協会	680-0845	鳥取市富安2-159　久本ビル5階	0857-22-3494
島根県職業能力開発協会	690-0048	松江市西嫁島1-4-5　SPビル2階	0852-23-1755
岡山県職業能力開発協会	700-0824	岡山市北区内山下2-3-10　アマノビル3階	086-225-1547
広島県職業能力開発協会	730-0052	広島市中区千田町3-7-47　広島県情報プラザ5階	082-245-4020
山口県職業能力開発協会	753-0051	山口市旭通り2-9-19　山口建設ビル3階	083-922-8646
徳島県職業能力開発協会	770-8006	徳島市新浜町1-1-7	088-663-2316
香川県職業能力開発協会	761-8031	高松市郷東町587-1　地域職業訓練センター内	087-882-2854
愛媛県職業能力開発協会	791-8057	松山市大可賀2-1-28　アイテムえひめ内	089-993-7301
高知県職業能力開発協会	781-5101	高知市布師田3992-4	088-846-2300
福岡県職業能力開発協会	813-0044	福岡市東区千早5-3-1　福岡人材開発センター2階	092-671-1238
佐賀県職業能力開発協会	840-0814	佐賀市成章町1-15	0952-24-6408
長崎県職業能力開発協会	851-2127	西彼杵郡長与町高田郷547-21	095-894-9971
熊本県職業能力開発協会	861-2202	上益城郡益城町田原2081-10　電子応用機械技術研究所内	096-285-5818
大分県職業能力開発協会	870-1141	大分市大字下宗方字古川1035-1　大分職業訓練センター内	097-542-3651
宮崎県職業能力開発協会	889-2155	宮崎市学園木花台西2-4-3	0985-58-1570
鹿児島県職業能力開発協会	892-0836	鹿児島市錦江町9-14	099-226-3240
沖縄県職業能力開発協会	900-0036	那覇市西3-14-1	098-862-4278
中央職業能力開発協会	160-8327	新宿区西新宿7-5-25　西新宿プライムスクエア11階	03-6758-2859

建設機械整備

実技試験問題

令和5年度技能検定
2級 建設機械整備（建設機械整備作業）実技試験（製作等作業試験）問題

次に示す作業時間及び注意事項に従って、課題1、課題2及び課題3を行いなさい。

1. 試験時間

実技試験(製作等作業試験)問題	打切り時間
課題1 エンジンの分解組立	1時間35分
課題2 油圧シリンダの分解組立	25分
課題3 加工作業	50分

2. 注意事項

(1) 課題の実施順序については、試験当日に試験場で技能検定委員から指示がある。

(2) 使用工具等は「実技試験(製作等作業試験)使用工具等一覧表」で指定したもの以外は使用しないこと。

(3) 試験開始前の部品等点検時間内に部品等を点検し、損傷等のある場合には技能検定委員に申し出て、指示を受けること。

　　なお、試験開始後は、原則として部品等の再支給は行わないが、課題1及び課題2において、部品等を破損又は紛失した場合は技能検定委員に申し出ること。

(4) 試験中は、工具等の貸し借りはしないこと。

(5) 与えられた部品等は取扱いに注意し、損傷させないこと。

(6) 試験場においては、技能検定委員の指示に従って行動すること。

(7) 作業時は、長袖作業服、安全靴、保護眼鏡、革手袋、ヘルメット（又は作業帽）等を作業に応じて着用すること。

(8) 与えられた部品、工具等は、使用後は必ず元の場所にもどし、整理しておくこと。

(9) 不正な行為や他人の迷惑になる言動は行わないこと。

(10) 作業に当たっては、安全に十分注意して行うこと。

(11) 各課題の作業が終了したら、そのつど技能検定委員に終了の合図をすること。

(12) 試験当日は、労働安全衛生法第61条第1項に基づくガス溶接作業主任者免許証、ガス溶接技能講習修了証等の資格証を携帯すること。

　　なお、携帯していない場合は、ガス溶接等の危険な作業があるため安全確保上の理由から、原則として受検できないので注意すること。

(13) **この問題には、事前に書込みをしないこと（アンダーライン、マーカー等は含まれない）。また、試験中に他の用紙にメモをしたものや参考書等を参照することは禁止する。**

(14) 試験中は、携帯電話、スマートフォン、ウェアラブル端末等の使用（電卓機能の使用も含む）を禁止とする。

(15) 機器操作、工具・材料の取扱い等について、そのまま継続すると機器・設備等の破損やけがを招くおそれがある危険な行為であると技能検定委員が判断した場合、試験中にその旨を注意することがある。

　　さらに、当該注意を受けてもなお、危険な行為を続けた場合は、試験を中断し、技能検定委員全員が試験継続不可と判断した場合は、失格とする。ただし、緊急性を伴うと判断された場合は、注意を挟まず、即中止（失格）とすることがある。

(16) 解答用紙に受検番号及び氏名を記入すること。

課題1　エンジンの分解組立

与えられたエンジンについて、次に示す[仕　様]に従って分解、測定、点検、調整及び組立を行いなさい。

[仕　様]

1.　分　解

(1)　与えられるエンジンは、下記のとおりとする。
なお、エンジンの機種は事前に公表される。

空冷ガソリンエンジン
4サイクル　総行程容積(総排気量)160〜180 ccクラス

(2)　分解部所は、下記のとおりとする。

分解部所	備考
燃料タンク	
排気消音器(マフラ)	
エアクリーナ及び気化器(キャブレータ)	
フライホイールマグネト	
タペットカバー又はヘッドカバー	
シリンダヘッド	

(注)　上記の分解に必要なその他の箇所も含む。

(3)　分解は、「分解基準」により行うこと。
なお、「分解基準」は事前に公表される。

(4)　分解は、「分解基準」に示す分解順序により行い、指示された以外の部所は分解しないこと。
ただし、測定用としてシリンダブロック(又はシリンダライナ)を与えられた場合の着手順序については、技能検定委員の指示に従うこと。

(5)　分解に当たっては、本体、部品等が損傷しないように、また、取り外した部品等が紛失しないように注意すること。
なお、取り外した部品等は、所定の整理箱に収納すること。

(6)　分解が終了したら、挙手をして、技能検定委員に点検を求めること。

2. 測定、点検及び調整

(1) 測定、点検及び調整は、下記に示す[測定、点検及び調整基準]によるものとし、「別図1・測定部所図」を参照して行い、支給された解答用紙にその結果を記入すること。

[測定、点検及び調整基準]

測定、点検及び調整項目	図面番号	作業内容	測定器具	備考
①シリンダ内径の測定	1	A部について、a方向(クランク軸方向)及びb方向(aに直角方向)の内径を測定し、解答用紙にその測定値を記入すること。	シリンダゲージマイクロメータ	シリンダゲージの0点調整に際しては、挙手をして、技能検定委員に立ち会いを求めること。
②バルブクリアランス測定	2	吸気バルブ及び排気バルブのバルブクリアランスを測定し、解答用紙にその測定値を記入すること。	すきまゲージ	バルブクリアランス測定に際しては、挙手をして、技能検定委員に立ち会いを求めること。
③点火コイルの2次線抵抗測定及び断線の判定	3	イ．抵抗値は単位を入れて、解答用紙に記入すること。 ロ．断線の有無を判定し解答用紙の「有」又は「無」のどちらかを○印で囲むこと。	回路計(サーキットテスタ)	抵抗測定に際しては、挙手をして、技能検定委員に立ち会いを求めること。
※④ブレーカ(断続器)のポイントのすきま調整 ※④イグニッションコイルとフライホイールのすきま(エアギャップ)調整	4	●クランク軸を回しブレーカ(断続器)のポイントのすきまを指示された値に調整すること。 ●イグニッションコイルとフライホイールとのすきまを指示された値に調整すること。	すきまゲージ	調整後、挙手をして、技能検定委員に点検を求めること。
⑤クランク軸のフライホイール取付け部のテーパ算出	5	クランク軸のフライホイール取付け部のテーパを求め、解答用紙に記入すること。	ノギス	テーパは、下記の例に示すように表すこと。 例 $\dfrac{x}{100}$
⑥カム軸の直径及びキーみぞ幅の測定	6	カム軸の動力取出し部の直径及び指示された位置のキーみぞ幅を測定し、その測定値を解答用紙に記入すること。	マイクロメータ及びノギス	直径はマイクロメータで、キーみぞ幅はノギスで測定すること。

(注) ※の項目については、与えられたエンジンに該当するほうで行うこと。

(2) シリンダゲージの0点調整は、マイクロメータを使用して行うこと。

(3) エンジンに記号が付けてあるものについては、解答用紙にその記号を記入すること。

(4) 測定、点検及び調整が終了したら、挙手をして、技能検定委員に解答用紙を提出すること。

(5) 与えられたエンジンがOHV式の場合は、バルブクリアランス測定は、エンジン分解前に行うこと。

(6) ノギスの測定結果は小数第二位を四捨五入して小数第一位まで記入すること。マイクロメータ、シリンダゲージ及びすきまゲージの測定結果は小数第二位まで記入すること。

別図1・測定部所図

図面番号	1	2
参照図	シリンダ　　ピストン	サイドバルブ式　　オーバーヘッドバルブ式
図面番号	3	4
参照図	点火プラグ　二次線　一次線　点火コイルユニット	接点式点火方式　　無接点式点火方式
図面番号	5	6
参照図	クランク軸	カム軸の動力取り出し部

3. 組 立

(1)　与えられた状態に組み立てること。

(2)　組立に当たっては、本体、部品等が損傷しないように、また、部品等の組忘れがないように注意すること。

(3)　組立に当たっては、確実に組み付けること。なお、ボルト・ナット等については、規定の締付けトルクは要求しないが工具等で適切に締め付けること。

(4)　組立が終了したら、挙手して、技能検定委員に終了の合図をすること。

課題2　油圧シリンダの分解組立

　　　与えられた油圧シリンダについて、次に示す[仕　様]に従って分解、測定及び組立を行いなさい。

[仕　様]

1. 分 解

(1)　与えられる油圧シリンダは、下記のとおりとする。
　　　　油圧シリンダ
　　　　　シリンダ内径　　　50～100 mm
　　　　　重　　量　　　　　20 kg以下
　　　　　全　　長　　　　　150 cm以下(伸長時)

(2)　分解部所は、下記のとおりとする。

分解部所	備考
シリンダヘッドアッセンブリ	取外しのみ
ピストンロッド	取外しのみ
ピストンアッセンブリ	取外しのみ

(3)　分解は、「分解基準及び分解部所図」により行うこと。
　　　なお、「分解基準及び分解部所図」は事前に公表される。

(4)　分解は、「分解基準及び分解部所図」に示す分解順序により行い、指示された以外の部所は分解しないこと。

(5)　分解に当たっては、本体、部品等が損傷しないように、また、取り外した部品等が、紛失しないように注意すること。
　　　なお、取り外した部品等は、所定の整理箱に収納すること。

(6)　分解を終了したら、挙手をして、技能検定委員に点検を求めること。

2. 測　定

(1)　測定は、下記に示す[測定基準]によるものとし、「別図2・測定部所図」を参照して行い、支給された解答用紙にその結果を記入すること。

[測定基準]

測定項目	作業内容	測定器具	備考
ピストンロッドの曲り測定	定盤及びVブロックを使用してピストンロッドの曲りを測定し、解答用紙にその測定値を記入すること。	ダイヤルゲージ（マグネットベース付き）	ピストンロッド支持支点距離は、できる限り最長とすることとし、測定個所は、支持支点距離のほぼ中央とする。

(2)　油圧シリンダに記号が付けてあるものについては、解答用紙にその記号を記入すること。

(3)　測定が終了したら、挙手をして、技能検定委員に解答用紙を提出すること。

(4)　ダイヤルゲージの測定結果は小数第二位まで記入すること。

別図2・測定部所図

3. 組　立

(1)　与えられた状態に組み立てること。

(2)　組立に当たっては、本体、部品等が損傷しないように、また、部品等に組忘れがないように注意すること。

(3)　組立に当たっては、確実に組み付けること。ただし、規定の締付けトルクは要求しない。

(4)　折曲げ座金は、折り曲げないこと。

(5)　止めワイヤ、割りピンはないものとし、また、もどり止めナット(セルフロッキングナット)の場合は、その効果は問わないこととする。

(6)　オイルシール、Oリング等はそのまま使用すること。

(7)　組立が終了したら、挙手をして、技能検定委員に終了の合図をすること。

課題3 加工作業

次に示す[仕 様]に従って、加工を行いなさい。

[仕 様]

1. 試験用材料(支給材料)は、下記のとおりとする。

品名	寸法又は規格	数量	備考
鋼板	SS400(旧記号SS41)相当品 150×110×9(mm)	1	

2. 加工は、「別図3・加工図」によるものとするが、次の事項に留意すること。

   (1)　鋼板にけがきを行ってから、加工に入ること。

   (2)　四辺ともガス切断すること。

   (3)　正四角形とすること。

   (4)　ガス切断面は、やすり等で仕上げをしないこと。ただし、ガス切断時に生じた溶解のばり取り
      は、完全に行い、その部分はやすり等で仕上げを行ってもよい。

3. 作業が終了したら、挙手をして、技能検定委員に終了の合図をし、加工品を提出すること。

別図3・加工図

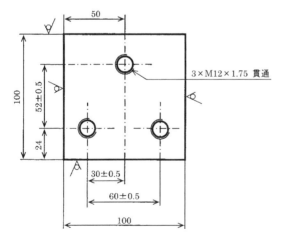

3×M12×1.75 貫通

仕上げ記号新旧対応表	
新記号	旧記号
▽	〜

2級建設機械整備実技試験（製作等作業試験）使用工具等一覧表

1. 受検者が持参するもの

区分	品名	寸法又は規格	数量	備考
工具類	十字ねじ回し(+ドライバ)	2番、3番	各1	
	ねじ回し(−ドライバ)	6×100、8×150	各1	
	すきまゲージ	6枚以上の組のもの	1	
	金属製直尺(スケール)	目量1 mm 300 mm測定可能なもの	1	
	けがき針		1	
	センタポンチ		1	
	片手ハンマ		1	
	やすり	平やすりの荒目及び中目 250 mm又は300 mm	各1	柄付き
	プライヤ		1	
	ノギス	最大測定長　150 mm程度	1	(アナログ式又はデジタル式)
	けがき用コンパス		1	
その他	工具箱		1	工具類収納用(袋でもよい)
	チョーク		1	
	ウエス		若干	
	作業服等	長袖作業服、安全靴、ガス溶断に必要な保護具（足カバー、腕カバー等）及び、ヘルメット（又は作業帽）	一式	
	溶接用革手袋		1組	
	保護眼鏡	ガス切断用着色眼鏡及びボール盤用無着色眼鏡	各1	
	筆記用具		一式	
	ガス溶接技能講習修了証又はその他ガス溶接作業の資格を証する書面		1	
	飲料		適宜	熱中症対策、水分補給用

(注) 1.持参するものは、上記のものに限る。

2.上記のものは、[課題1]、[課題2]及び[課題3]に共用してもよい。

3.「飲料」については、受検者が各自で試験当日の天候、気温等を考慮の上、熱中症対策、水分補給用として、適宜、持参すること。

2. 試験場で準備するもの

(数量欄の数字は、特にことわりのない限り、受検者1人当たりの数量を示す。)

(1) [課 題 1]

区分	品名	寸法又は規格	数量	備考
試験機械	※空冷ガソリンエンジン	4サイクル、総行程容積(総排気量)160〜180 ccクラス	1	
設備等	スパナ	課題に適するもの	1組	
	ソケットレンチ	課題に適するもの	1組	ハンドルを含む
	片手ハンマ	1/4〜1番	1	フライホイール取り外し用、銅、ゴム、プラスチック製等
	シリンダゲージ	目量0.01 mm	1組	試験機械に適したもの
	回路計		1	(アナログ式又はデジタル式)
	外側マイクロメータ	測定範囲25 mm及び75 mm測定可能なもの目量0.01 mm	各1	スタンド付き
	作業台		1	
	整理箱		1	分解部品収納用
	ウエス		適宜	

(注) ※印には、測定用として、別途シリンダブロック(又はシリンダライナ)及びピストンが各1準備される場合もある。

(2) [課 題 2]

区分	品名	寸法又は規格	数量	備考
試験機械	油圧シリンダ	シリンダ内径50〜100 mm重量20 kg以下全長150 cm以下(伸長時)	1組	
設備等	分解台	課題に適したもの	1組	
	シリンダヘッドアッセンブリ緩め用工具	課題に適したもの	一式	特殊スパナ(アジャスタブルフックレンチ)、スパナ、ねじ回し等
	ピストンアッセンブリ取外し用スパナ	課題に適したもの	一式	
	ピストンロッド受け台	課題に適したもの	1	
	ダイヤルゲージ	課題に適したもの目量0.01 mm	1	マグネットベース付き
	定盤		1	ピストンロッド曲り測定に使用できるものでもよい。
	Vブロック		2	
	作業台		1	
	整理箱		1	分解部品収納用
	作動油		適宜	
	グリース		適宜	
	ウエス		適宜	
	片手ハンマ	1/4〜1番	1	銅、ゴム、プラスチック製等

(3) ［ 課 題 3 ］

区分	品名	寸法又は規格	数量	備考
試験用 材料	材料一式	p.7に示すもの*	一式	
設備等	卓上ボール盤又はボール盤	穴あけ能力12 mm以下	1/1～3人	ドリルチャック及びハンドルを含む
	けがき定規		1	
	作業台		1	
	油及び油はけ		適宜	切削用
	ストレートシャンクドリル	9.5、10、10.2、10.4、 10.5、11 mm	各1	
	ボール盤用万力	口の開き120 mm以上	1	
	等径ハンドタップ	メートル並目ねじ用 M12×1.75	1	
	タップハンドル		1	
	卓上万力	口の開き　120 mm以上	1	口金を含む
	木片		1	穴あけ用下じき
	ガス切断用装置		一式	
	ガス切断用作業台		1	
	鉄板		1	ガス切断くず受け用
	ライタ		1	着火用
	ガス切断用定規	直線バー	1	
	冷却水及び容器		1	
	火ばさみ	平形	1	プライヤ可

＊本書では P.18

実技試験(計画立案等作業試験)について

1. **統一実施日**

   令和5年8月27日(日)

2. **試験時間**

   1時間20分

3. **問題の概要**

   故障の発見、修理、点検、分解、組立、調整、測定等について行う。

4. **持参用具等**

品名	寸法又は規格	数量
筆記用具	鉛筆、消しゴム等	一式
電子式卓上計算機	電池式(太陽電池式含む)	1

令和5年度 技能検定
2級建設機械整備（建設機械整備作業）
実技試験(計画立案等作業試験)問題

1 試験時間

　1時間20分

2 注意事項

(1) 係員の指示があるまで、この表紙はあけないでください。

(2) 解答用紙に、受検番号及び氏名を必ず記入してください。

(3) 係員の指示に従って、この試験問題が表紙を含めて7ページであることを確認してください。

　　それらに異常がある場合は、黙って手を挙げてください。

(4) 試験開始の合図で始めてください。

(5) 解答は、解答用紙の解答欄に記入してください。

　　なお、要求している解答以外は記入しないでください。

(6) 試験中は、スマートフォン、ウェアラブル端末等の使用（電卓機能の使用を含む）を禁止とします。

(7) 試験中、質問があるときは、黙って手を挙げてください。ただし、試験問題の内容、漢字の読み方
等に関する質問にはお答えできません。

(8) 試験終了時刻前に解答ができあがった場合は、黙って手を挙げて、係員の指示に従ってください。

(9) 試験中に手洗いに立ちたいときは、黙って手を挙げて、係員の指示に従ってください。

(10) 試験終了の合図があったら、筆記用具を置き、係員の指示に従ってください。

(11) 試験終了後、解答用紙を提出してください。

(12) 計算等は、問題用紙の余白又は裏面を使用して行ってください。

3 試験に使用できる用具等一覧

品　　名	寸法又は規格	数量	備　　　　考
筆記用具等	鉛筆、消しゴム等	一式	
電子式卓上計算機	電池式（太陽電池式含む）	1	

問題1　右図はブルドーザのトルクフローミッションに使われているトルクコンバータの一例を断面図で
　　　表したものである。分解手順に関する記述の(①)～(⑩)に当てはまる適切な語句を下表の語
　　　群から一つずつ選び、その番号を解答欄に記入しなさい。
　　　　　ただし、同じ番号を重複して使用しないこと。

分解手順
　(1)　トルクコンバータのハウジングのZ面を回転式の専用スタンドに取り付け、ロックプレートのロ
　　　ックを解除してボルトを取り外し、プレートを外してから(①)を取り外す。
　(2)　1のPTOハウジングに取り付けられている20の吊りボルトをワイヤで吊って(②)を外し、抜
　　　きボルト2本を使ってPTOハウジングを抜き出して取り外す。
　(3)　取り付けボルトを外し、抜きボルト2本を使って(③)を取り外す。
　(4)　10のハウジングカバーの窓からボックスレンチを差し込んで2のドライブケースと(④)とを
　　　取り付けている(⑤)を取り外す。
　(5)　トルクコンバータが上になるようにスタンドを回転して、プラーを使って2のドライブケースと
　　　(⑥)をアセンブリで抜き出し、その後で(⑦)を取り外して、プラーを使って2のドライ
　　　ブケースと(⑥)とを分離する。
　(6)　次に(⑧)を取り外して(⑨)を取り外す。
　(7)　8のスナップリングを取り外して専用レンチを使って(⑩)を取り外し、10のハウジングカバ
　　　ーをやや斜め上向きになるようにスタンドを回転させてから17のボルトを取り外して、6のポンプ
　　　を取り外す。

【語群】

番号	部　品　名	番号	部　品　名
1	PTO ハウジング	11	ボルト
2	ドライブケース	12	タービン
3	プラグ	13	スナップリング
4	ボルト	14	ドライブギヤ
5	ボルト	15	O リング
6	ポンプ	16	カップリング
7	シャフト	17	ボルト
8	スナップリング	18	ステータ
9	ナット	19	スナップリング リテーナプレート
10	ハウジングカバー	20	吊りボルト
(注)番号は図中の矢印の番号と対応しています。			

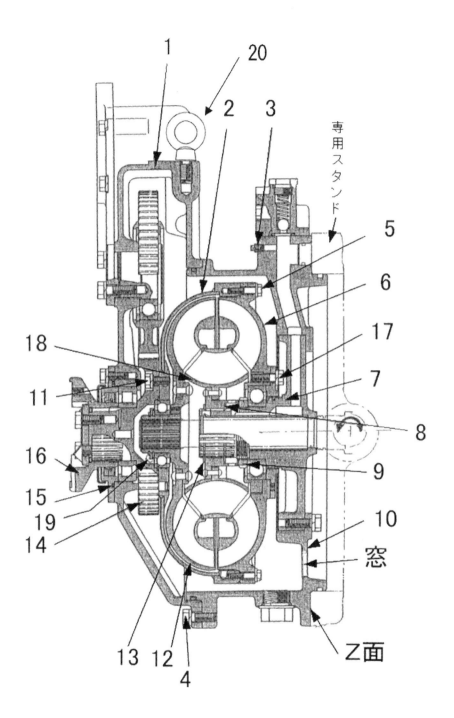

専用スタンド

窓

Z面

問題2　下図に示す充電回路に関する記述の（　①　）～（　⑧　）内に当てはまる適切な語句を下記の語群から一つずつ選び、その記号を解答欄に記入しなさい。
　　　　なお、同じ記号を重複して使用してもよい。

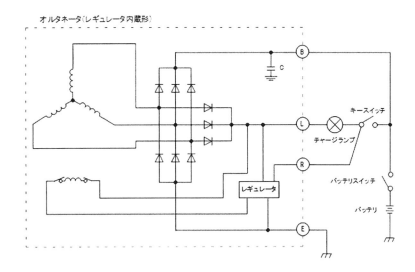

(1)　バッテリスイッチを「ON」にし、キースイッチを操作してエンジンが始動すると、ファンベルトにより、オルタネータのロータが回り、同時にバッテリから電流がオルタネータ内のレギュレータを通り、（　①　）に流れ、ステータコイル(電機子巻線)に起電力が発生する。

(2)　ステータコイルに発生する起電力は（　②　）であり、これを（　③　）で（　④　）に変換する。

(3)　レギュレータの働きは、（　⑤　）の発生電圧を検知し、（　⑥　）への（　⑦　）を制御して、（　⑧　）への充電電圧を一定範囲に保つことである。

【語　群】

ア．三相交流	イ．単相交流	ウ．直　流
エ．負　荷	オ．励磁電流	カ．充電電流
キ．ダイオード	ク．ステータコア	ケ．コンデンサ
コ．ロータ(フィールド)コイル	サ．バッテリ	シ．ステータコイル

問題3　次のワイヤロープに関する設問1及び設問2について答えなさい。

設問1　玉掛用具としてのワイヤロープを点検したところ、次のような状況であった。労働安全衛生法関係法令上、交換しなければならない項目を下記より2つ選び、その記号(ア〜カ)を解答欄に記入しなさい。

　　　　ア　フィラ線は、一よりの間において、8本切れている箇所があった。

　　　　イ　素線が、一よりの間において、7%切れている箇所があった。

　　　　ウ　ワイヤロープの直径の減少が、公称径の10%の箇所があった。

　　　　エ　軽度の錆が認められた。

　　　　オ　素線総数144本のワイヤロープ、一よりの間において10本の素線が切断していた。

　　　　カ　キンクの跡があった。

設問2　文中の（　①　）〜（　④　）内に当てはまる適切な語句又は数値を下記の語群より一つずつ選び、その記号(ア〜タ)を解答欄に記入しなさい。

　　　　ただし、同じ記号を重複して使用しないこと。

　　　　なお、つり具の質量は無視するものとする。

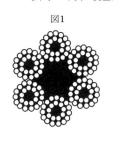

図1

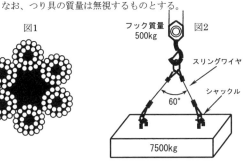

図2

フック質量
500kg

スリングワイヤ

シャックル

60°

7500kg

（左右のワイヤには均等に荷重がかかるものとする。）

表1　ワイヤ径及び破断荷重

ワイヤ径 (mm)	破断荷重 kN{ tf}
14	99 {10.1}
16	129 {13.2}
18	165 {16.7}
20	202 {20.6}
25	315 {32.2}

参考　三角関数

角度 θ	$\sin \theta$	$\cos \theta$	$\tan \theta$
30°	0.500	0.866	0.577
60°	0.866	0.500	1.732

(1) 図1に示すスリングワイヤは、日本産業規格(JIS)による構成記号は、（　①　）×（　②　）であり、ワイヤの心は、（　③　）である。

(2) 図2に示すような玉掛けを行う際に、上記のスリングワイヤを表1に示すものより選ぶ場合、労働安全衛生法関係法令上、ワイヤの径は少なくとも（　④　）mmのものが必要である。

　　　ただし、安全係数は、6とする。

【語　群】

ア．4	イ．5	ウ．6	エ．14
オ．15	カ．16	キ．18	ク．20
ケ．22	コ．23	サ．24	シ．25
ス．鋼	セ．無	ソ．繊維	タ．共

問題4　下図は油圧回路のメインコントロールバルブに装着されているメインリリーフバルブの一例を示したものである。動作説明に関する記述の（　1　）～（　10　）内に当てはまる適切な語句を下記の語群から一つずつ選び、その記号（ア～セ）を解答欄に記入しなさい。

　　なお、同じ記号を重複して使用してもよい。

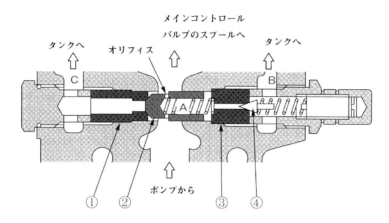

　　メインリリーフバルブは、油圧回路の（　1　）を規定し、油圧回路の（　2　）をしている。チェックバルブ②のオリフィスからA室に入ったオイルの（　3　）が、パイロットポペット④のスプリング力以上になると、（　4　）が図の（　5　）に移動し、A室のオイルが徐々に（　6　）へ逃げ、A室の圧力が下がる。A室の圧力が下がるとチェックバルブ②の前後の圧力バランスがくずれ（　7　）が右方向へ移動する。これによって、圧力の上昇したオイルが（　8　）を通って（　9　）に逃げ、ポンプにかかる最高圧力は規定圧力に保たれる。

　　したがって、ゴミをかみ込んだり、メインリリーフバルブの取付けボルトを必要以上に強く締め付けすぎてバルブボデーが歪むと、（　10　）がスムースに移動できなくなり、油圧が規定圧力に保てなくなる。

【語　　群】

記号	語　句	記号	語　句	記号	語　句	記号	語　句	記号	語　句
ア	A室	イ	右方向	ウ	左方向	エ	圧力	オ	最高圧力
カ	流速	キ	保護	ク	リリーフシート①	ケ	チェックバルブ②	コ	ポペットシート③
サ	パイロットポペット④	シ	流量	ス	低圧回路B	セ	低圧回路C		

問題5　下図は履帯式トラクターの終減速装置の構造を示したものです。終減速装置の油漏れ修理で、図中[8]スプロケットボス内側の[15]フローティングシール交換の手順に関する記述の（　①　）～（　⑤　）内に当てはまる適切な語句を下記の語群より一つずつ選び、その記号を解答欄に記入しなさい。

ただし、同じ記号を重複して使用しないこと。

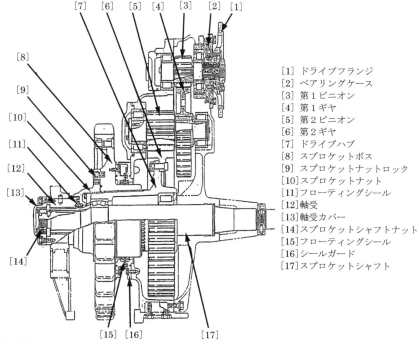

[1]　ドライブフランジ
[2]　ベアリングケース
[3]　第1ピニオン
[4]　第1ギヤ
[5]　第2ピニオン
[6]　第2ギヤ
[7]　ドライブハブ
[8]　スプロケットボス
[9]　スプロケットナットロック
[10]スプロケットナット
[11]フローティングシール
[12]軸受
[13]軸受カバー
[14]スプロケットシャフトナット
[15]フローティングシール
[16]シールガード
[17]スプロケットシャフト

交換手順

1.　[13]軸受カバー、[14]スプロケットシャフトナット、（　①　）を外して外側の（　②　）を取り外す。
2.　[10]スプロケットナットの[9]スプロケットナットロックを外し、（　③　）を使って[10]スプロケットナットを取り外す。
3.　（　④　）に圧入されている[8]スプロケットボスをクレーンで吊り上げ軽く保持して、抜取り専用の（　⑤　）を使用して抜き出す。
4.　[8]スプロケットボスを抜き出すとき、[17]スプロケットシャフト先端のねじ部を傷めないように注意する。
5.　[8]スプロケットボスと[16]シールガードのシールを取り外して[15]フローティングシールを交換する。

【語　群】

ア．[1]ドライブフランジ	イ．[2]ベアリングケース	ウ．[7]ドライブハブ
エ．[11]フローティングシール	オ．[12]軸受	カ．[13]軸受カバー
キ．[17]スプロケットシャフト	ク．プレス	ケ．専用レンチ

令和4年度技能検定
2級建設機械整備（建設機械整備作業）
実技試験（計画立案等作業試験）問題

1 試験時間

　　1時間20分

2 注意事項

(1) 係員の指示があるまで、この表紙はあけないでください。

(2) 解答用紙に、受検番号及び氏名を必ず記入してください。

(3) 係員の指示に従って、この試験問題が表紙を含めて6ページであることを確認してください。

　　それらに異常がある場合は、黙って手を挙げてください。

(4) 試験開始の合図で始めてください。

(5) 解答は、解答用紙の解答欄に記入してください。

　　なお、要求している解答以外は記入しないでください。

(6) 試験中は、スマートフォン、ウェアラブル端末等の使用（電卓機能の使用を含む）を禁止とします。

(7) 試験中、質問があるときは、黙って手を挙げてください。ただし、試験問題の内容、漢字の読み方
　　等に関する質問にはお答えできません。

(8) 試験終了時刻前に解答ができあがった場合は、黙って手を挙げて、係員の指示に従ってください。

(9) 試験中に手洗いに立ちたいときは、黙って手を挙げて、係員の指示に従ってください。

(10) 試験終了の合図があったら、筆記用具を置き、係員の指示に従ってください。

(11) 試験終了後、解答用紙を提出してください。

(12) 計算等は、問題用紙の余白又は裏面を使用して行ってください。

3 試験に使用できる用具等一覧

品　　名	寸法又は規格	数量	備　　考
筆記用具等	鉛筆、消しゴム等	一式	
電子式卓上計算機	電池式（太陽電池式含む）	1	

問題1　下記のディーゼルエンジンの圧縮圧力に関する記述の（　①　）〜（　⑮　）内に当てはまる適切な語句を下記の語群より一つずつ選び、その記号を解答欄に記入しなさい。

　　　なお、同じ記号を重複して使用してもよい。

　1．圧縮圧力の測定は、暖機運転を（　①　）測定する。
　2．まず（　②　）を取り外す。
　3．（　③　）を調整し、（　④　）のシリンダの（　⑤　）を取り外す。
　4．（　⑥　）の取付け部に（　⑦　）を取り付ける。このとき燃料コントロールを（　⑧　）の状態にしておき、（　⑨　）でエンジンを回して測定する。
　5．圧縮圧力は、エンジン回転速度によって（　⑩　）ので、（　⑪　）測定する。
　6．なお、圧縮圧力の低下の主な原因は、（　⑫　）や（　⑬　）であり、異常現象として（　⑭　）や（　⑮　）等に現れる。

【語　群】

記号	語　句	記号	語　句	記号	語　句
ア	一部	イ	しないで	ウ	してから
エ	すべて	オ	変化する	カ	変化しない
キ	バーリングツール	ク	バルブクリアランス	ケ	ノズルホルダAss'y
コ	シリンダヘッドカバー	サ	バックラッシュ	シ	マフラの詰まり
ス	ノズルテスタ	セ	コンプレッションゲージ	ソ	スタータ
タ	排気色の不良	チ	噴射	ツ	燃料フィルタの詰まり
テ	排気の出の悪さ	ト	無噴射	ナ	水温の異常上昇
ニ	出力の低下	ヌ	規定回転速度範囲内で	ネ	回転速度にとらわれずに
ノ	バルブとバルブシートの当り不良			ハ	ピストンリング、ライナの摩耗

問題2　下図は工場内の設備を示したものである。図を見て下表の①〜⑩の運転又は取扱い等に関する資格について、適切なものを下記の語群から一つ選び、その記号を解答欄に記入しなさい。

　　　　ただし、同じ記号を重複して使用してもよい。

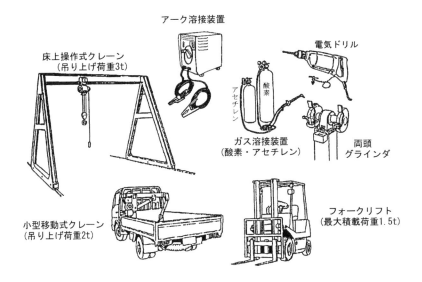

アーク溶接装置
電気ドリル
床上操作式クレーン
（吊り上げ荷重3t）
酸素
アセチレン
ガス溶接装置
（酸素・アセチレン）
両頭
グラインダ
小型移動式クレーン
（吊り上げ荷重2t）
フォークリフト
（最大積載荷重1.5t）

	運転又は取扱い	1年以内ごとに行う定期自主検査	研削といしの取替え
床上操作式クレーン	①	②	
電 気 ド リ ル	③		
両頭グラインダ			④
ア ー ク 溶 接 装 置	⑤		
ガ ス 溶 接 装 置	⑥		
フ ォ ー ク リ フ ト	⑦	⑧	
小型移動式クレーン	⑨	⑩	

【語　群】

記号	A	B	C	D
語句	資格不要	当該特別教育修了者	当該技能講習修了者	当該設備の特定自主検査者

問題3　下記の文章は、油圧式ショベルの鉄履帯について述べたものである。記述中の（　①　）〜（　⑧　）内に当てはまる適切な語句を下記の語群の中から一つずつ選び、その記号を解答欄に記入しなさい。ただし、同一記号を重複して使用しないこと。

(1)　シューは、地盤に応じ種々の形状のものがある。接地面が平坦なフラットシュー、接地面積を広くした広幅シュー、湿地用の（　①　）シュー及び突起部のある（　②　）シューなどがある。

(2)　トラックリンクは、（　③　）を持たせるため、表面硬化の熱処理がされており、一般に、その表面硬化層の深さは、（　④　）である。

(3)　ブシュの（　⑤　）は、起動輪歯車とかみ合って回転力を受け、（　⑥　）は、ピンと接触する。

(4)　ピンは、トラックリンクの引張力による（　⑦　）を受ける。また、履帯取外しを容易にするため、一般に、（　⑧　）を使用している箇所がある。

【語群】

記号	語句	記号	語句	記号	語句	記号	語句
ア	0.3〜0.6 mm	イ	5〜15 mm	ウ	外周	エ	内周
オ	耐摩耗性	カ	弾性	キ	曲げ力	ク	せん断力
ケ	キングピン	コ	マスタピン	サ	三角	シ	グローサ

問題4　下記の文章は、建設機械の中型エンジン用スタータモータの分解整備について示したものである。スタータモータの分解図（図A）及び使用限度基準表（表B）を参考に、文中の（　①　）～（　⑤　）内に当てはまる適切な語句を下記の語群より一つずつ選び、その記号を解答欄に記入しなさい。

ただし、同一記号を重複して使用しないこと。

(1)　図Aのように分解後アーマチュアコイルの絶縁抵抗を、（　①　）とアーマチュアコイルコア間で測定し、またフィールドコイルの絶縁抵抗を（　②　）端子と（　③　）間で測定する。

(2)　アーマチュアコイルASS'Yのシャフト（軸）と各メタルの隙間（クリアランス）の測定結果は以下のとおりであった。この測定結果に対するメタルの処置は、下表のとおりである。ただし、シャフトの摩耗は無いものとする。

	隙間（クリアランス）	処置（交換又は再使用）
フロントメタル部	0.23 mm	メタルを（　④　）する
リヤメタル部	0.11 mm	メタルを（　⑤　）する

（図A）

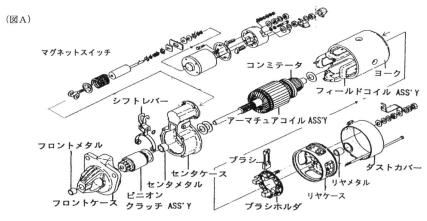

（表B）

使 用 限 度 基 準 表		
部　品　名	基準値	限度値
コンミテータ外径寸法	49.0 mm	46.0 mm
コンミテータ真円度（振れ）	0.03 mm	0.20 mm
フロントメタル部間隙	0.06 mm	0.22 mm
リヤメタル部間隙	0.06 mm	0.22 mm

【語　群】

ア．ブラシホルダ	イ．ブラシ	ウ．マグネットスイッチ
エ．ヨーク	オ．ピニオン	カ．フィールドコイル
キ．コンミテータ	ク．再使用	ケ．交換

問題5　下図はブルドーザのブレード操作用油圧回路の一例である。この回路に関する記述の（　①　）〜
（　⑩　）内に当てはまる適切な語句を下記の語群より一つずつ選び、その記号を解答欄に記入しなさ
い。
　　なお、同じ記号を重複して使用してもよい。

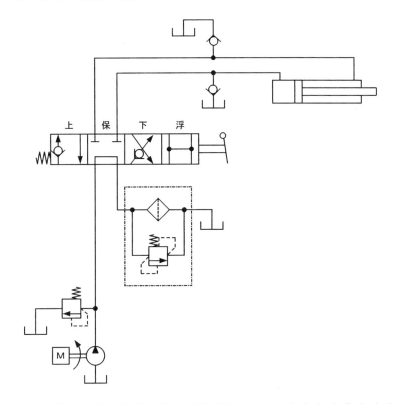

　　操作弁が「保」のときにポンプから送られる油の流れは、タンク⇒（　①　）⇒（　②　）⇒（　③　）
⇒（　④　）の順である。このとき、ブレードは、（　⑤　）。
　　操作弁が「上」で、ブレードが上昇中の時の油の流れは、タンク⇒（　⑥　）⇒（　⑦　）⇒（　⑧　）
の順である。このときにエンジンが停止すると、ブレードは（　⑨　）。
　　操作弁を「浮」にすると、シリンダの回路は両側とも（　⑩　）に通じるので、ブレードは自重に
より降下する。

【語　群】

ア．自由に動く	イ．動かない	ウ．操作弁
エ．下がる	オ．フィルタ	カ．タンク
キ．上がる	ク．シリンダ	ケ．ポンプ

令和3年度技能検定
2級建設機械整備（建設機械整備作業）
実技試験(計画立案等作業試験)問題

1 試験時間

　　1時間20分

2 注意事項

(1) 係員の指示があるまで、この表紙はあけないでください。

(2) 解答用紙に、受検番号及び氏名を必ず記入してください。

(3) 係員の指示に従って、この試験問題が表紙を含めて6ページであることを確認してください。

　　 それらに異常がある場合は、黙って手を挙げてください。

(4) 試験開始の合図で始めてください。

(5) 解答は、解答用紙の解答欄に記入してください。

　　 なお、要求している解答以外は記入しないでください。

(6) 試験中は、携帯電話、スマートフォン、ウェアラブル端末等の使用（電卓機能の使用を含む）を禁止とします。

(7) 試験中、質問があるときは、黙って手を挙げてください。ただし、試験問題の内容、漢字の読み方等に関する質問にはお答えできません。

(8) 試験終了時刻前に解答ができあがった場合は、黙って手を挙げて、係員の指示に従ってください。

(9) 試験中に手洗いに立ちたいときは、黙って手を挙げて、係員の指示に従ってください。

(10) 試験終了の合図があったら、筆記用具を置き、係員の指示に従ってください。

(11) 試験終了後、解答用紙を提出してください。

(12) 計算等は、問題用紙の余白又は裏面を使用して行ってください。

3 試験に使用できる用具等一覧

品　　名	寸法又は規格	数量	備　　　考
筆記用具等	鉛筆、消しゴム等	一式	
電子式卓上計算機	電池式（太陽電池式含む）	1	

問題1　下図は、建設機械において水冷式ディーゼルエンジンが、稼動中に黒煙を出す原因を図示したものである。図中の（　①　）～（　⑤　）内に当てはまる適切な語句を下記の語群の中から一つずつ選び、その記号(ア～コ)を解答欄に記入しなさい。

　　ただし、同じ記号を重複して使用しないこと。

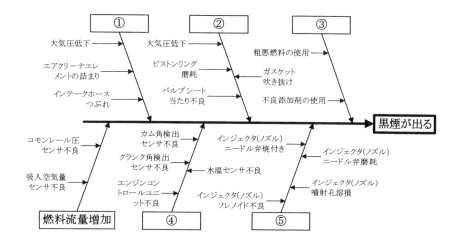

【語　群】

　　ア．燃料フィルタの詰まり　　　イ．燃料の性状不良　　　ウ．バッテリ容量不足

　　エ．吸入空気量不足　　　　　　オ．吸入空気量過大　　　カ．圧縮不足

　　キ．燃料噴霧不良　　　　　　　ク．ブローバイ過大　　　ケ．燃料噴射時期不適正

　　コ．フィードポンプ不良

問題2　下図はHST(Hydro Static Transmission)回路を使用した車両系建設機械の走行油圧回路図の一例を示したものである。動作説明に関する記述の(　①　)～(　⑩　)内に当てはまる適切な語句を以下の語群より一つずつ選び、その記号(ア～セ)を解答欄に記入しなさい。

　　　ただし、同じ記号を重複して使用しないこと。

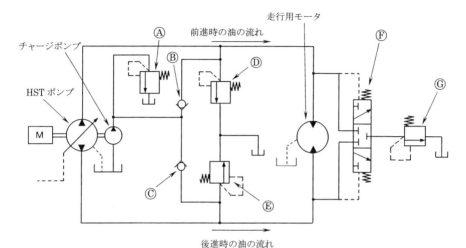

　　図からも分かるようにHST回路は、(　①　)である。HSTポンプは、(　②　)ポンプで中立はもちろん、出口と入口を逆にすることができるポンプを採用している。

(　③　)は、前進時の回路圧を制御する弁である。(　④　)及び(　⑤　)は、チャージポンプからの油を(　⑥　)側へ流すための弁であり、また、(　⑦　)側の油がチャージ回路に逆流しないようにしている。(　⑧　)は、低圧側の油を(　⑨　)の弁に導くシャトル弁である。(　⑨　)は、チャージポンプから低圧回路に送り込まれた余剰油をタンクへ戻す働きをしている。(　⑩　)は、チャージ回路の機器の異常などで、チャージ回路圧が規定以上に高くなったとき、チャージ回路を保護するための弁である。

【語　群】

ア．低圧	イ．高圧	ウ．逆流	エ．開回路	オ．閉回路
カ．定容量形	キ．可変容量形	ク．Ⓐ	ケ．Ⓑ	コ．Ⓒ
サ．Ⓓ	シ．Ⓔ	ス．Ⓕ	セ．Ⓖ	

問題3　次のフローは、ある建設機械の電気系統の電気の流れの一部を示したものである。フロー文中の
　　　（　①　）～（　⑩　）内に当てはまる適切な語句を以下の語群より一つずつ選び、その記号(ア～ケ)を
　　　解答欄に記入しなさい。
　　　なお、同じ記号を重複して使用してもよい。

(1)　スタータスイッチのキーを「予熱」の位置にしたときの電気の流れ

| バッテリ | → | スタータスイッチの（①）端子 | → | スタータスイッチの（②）端子 | → | （③） | → | グローブラグ |

(2)　スタータスイッチのキーを「始動」の位置にしたときの電気の流れ

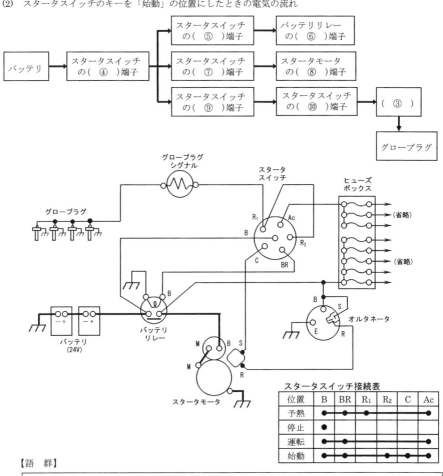

【語　群】

| ア．Ac | イ．B | ウ．R₁ | エ．R₂ | オ．BR |
| カ．C | キ．S | ク．グローブラグシグナル | | ケ．スタータモータ |

問題4　下図は油圧ショベルに使用されている走行装置の湿式多板型ディスクタイプの駐車ブレーキの作動原理図である。

　　　作動に関する記述の（　①　）～（　⑤　）内に当てはまる語句を以下の語群より一つずつ選び、その記号（ア～カ）を解答欄に記入しなさい。ただし、同じ記号を重複して使用しないこと。

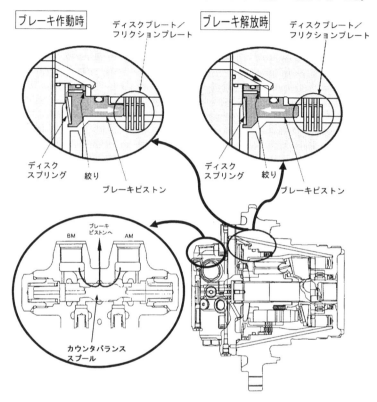

　　走行レバーを操作すると、メインポンプからの圧油がコントロールバルブを通り、走行装置のポートAM又はBMに供給される。この圧油は走行ブレーキバルブの（　①　）を動かし、スプールの切り欠きを通ってブレーキピストンに作用する。この結果、ブレーキピストンが押されるため、（　②　）はフリーとなり、ブレーキが解除する。また、走行レバーを中立に戻すと、走行ブレーキバルブのカウンタバランススプールが中立に戻る。（　③　）に作用していた圧油は、ブレーキピストンの（　④　）からドレン回路に戻るため、ブレーキピストンは（　⑤　）により押し戻される。この結果、ブレーキピストンを介し（　②　）にスプリング力が作用し摩擦力で固定される。この動作により駐車ブレーキが作動する。

【語　群】

ア．ディスクプレート／フリクションプレート	イ．モータハウジング
ウ．ブレーキピストン	エ．ディスクスプリング
オ．カウンタバランススプール	カ．絞り

問題5　次のワイヤロープに関する設問1及び設問2について答えなさい。

設問1　玉掛用具としてのワイヤロープを点検したところ、次のような状況であった。労働安全衛生関係法令上、交換しなければならない項目を下記より2つ選び、その記号（ア〜カ）を解答欄に記入しなさい。

　　　　ア　フィラ線は、一よりの間において、8本切れている箇所があった。

　　　　イ　素線が、一よりの間において、7%切れている箇所があった。

　　　　ウ　ワイヤロープの直径の減少が、公称径の10%の箇所があった。

　　　　エ　軽度の錆が認められた。

　　　　オ　素線総数144本のワイヤロープ、一よりの間において10本の素線が切断していた。

　　　　カ　キンクの跡があった。

設問2　文中の（　①　）〜（　④　）内に当てはまる適切な語句又は数値を下記の語群より一つずつ選び、その記号（ア〜タ）を解答欄に記入しなさい。

　　　　ただし、同じ記号を重複して使用しないこと。

　　　　なお、つり具の質量は無視するものとする。

図1

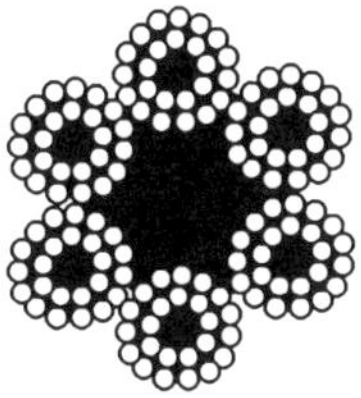

図2
フック質量 500kg
スリングワイヤ
シャックル
60°
7500kg

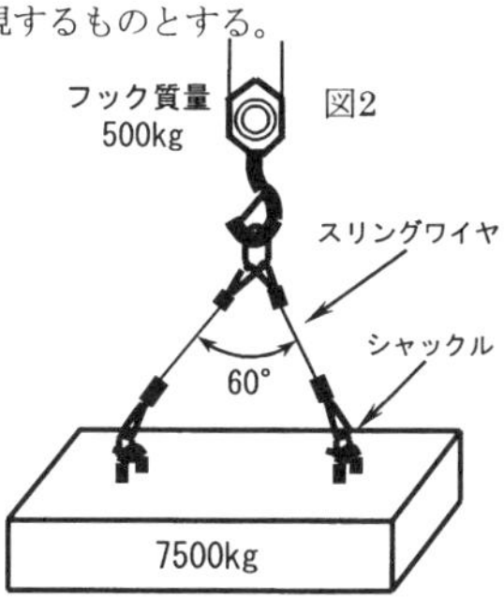

（左右のワイヤには均等に荷重がかかるものとする。）

表1　ワイヤ径及び破断荷重

ワイヤ径 （mm）	破断荷重 kN{ tf}
14	99 {10.1}
16	129 {13.2}
18	165 {16.7}
20	202 {20.6}
25	315 {32.2}

参考　三角関数

角度 θ	$\sin\theta$	$\cos\theta$	$\tan\theta$
30°	0.500	0.866	0.577
60°	0.866	0.500	1.732

(1)　図1に示すスリングワイヤは、日本産業規格（JIS）による構成記号は、（　①　）×（　②　）であり、ワイヤの心は、（　③　）である。

(2)　図2に示すような玉掛けを行う際に、上記のスリングワイヤを表1に示すものより選ぶ場合、労働安全衛生関係法令上、ワイヤの径は少なくとも（　④　）mmのものが必要である。

　　　ただし、安全係数は、6とする。

【語　群】

ア．4	イ．5	ウ．6	エ．14
オ．15	カ．16	キ．18	ク．20
ケ．22	コ．23	サ．24	シ．25
ス．鋼	セ．無	ソ．繊維	タ．共

令和5年度技能検定
1級 建設機械整備（建設機械整備作業）実技試験(製作等作業試験)問題

次に示す作業時間及び注意事項に従って、課題1、課題2及び課題3を行いなさい。

1. 試験時間

実技試験(製作等作業試験)問題	打切り時間
課題1　エンジンの分解組立	1時間35分
課題2　油圧シリンダの分解組立	25分
課題3　加工作業	1時間

2. 注意事項

(1) 課題の実施順序については、試験当日に試験場で技能検定委員から指示がある。

(2) 使用工具等は「実技試験(製作等作業試験)使用工具等一覧表」で指定したもの以外は使用しないこと。

(3) 試験開始前の部品等点検時間内に部品等を点検し、損傷等のある場合には技能検定委員に申し出て、指示を受けること。

　　なお、試験開始後は、原則として部品等の再支給は行わないが、課題1及び課題2において、部品等を破損又は紛失した場合は技能検定委員に申し出ること。

(4) 試験中は、工具等の貸し借りはしないこと。

(5) 与えられた部品等は取扱いに注意し、損傷させないこと。

(6) 試験場においては、技能検定委員の指示に従って行動すること。

(7) 作業時は、長袖作業服、安全靴、保護眼鏡、革手袋、ヘルメット（又は作業帽）等を作業に応じて着用すること。

(8) 与えられた部品、工具等は、使用後は必ず元の場所にもどし、整理しておくこと。

(9) 不正な行為や他人の迷惑になる言動は行わないこと。

(10) 作業に当たっては、安全に十分注意して行うこと。

(11) 各課題の作業が終了したら、そのつど技能検定委員に終了の合図をすること。

(12) 試験当日は、労働安全衛生法第61条第1項に基づくガス溶接作業主任者免許証、ガス溶接技能講習修了証等の資格証を携帯すること。

　　なお、携帯していない場合は、ガス溶接等の危険な作業があるため安全確保上の理由から、原則として受検できないので注意すること。

(13) この問題には、事前に書込みをしないこと（アンダーライン、マーカー等は含まれない）。また、試験中に他の用紙にメモをしたものや参考書等を参照することは禁止する。

(14) 試験中は、携帯電話、スマートフォン、ウェアラブル端末等の使用(電卓機能の使用も含む)を禁止とする。

(15) 機器操作、工具・材料の取扱い等について、そのまま継続すると機器・設備等の破損やけがを招くおそれがある危険な行為であると技能検定委員が判断した場合、試験中にその旨を注意することがある。

　　さらに、当該注意を受けてもなお、危険な行為を続けた場合は、試験を中断し、技能検定委員全員が試験継続不可と判断した場合は、失格とする。ただし、緊急性を伴うと判断された場合は、注意を挟まず、即中止（失格）とすることがある。

(16) 解答用紙に受検番号及び氏名を記入すること。

課題1　エンジンの分解組立

　　与えられたエンジンについて、次に示す[仕　様]に従って分解、測定、点検、調整及び組立を行いなさい。

[仕　様]

1.　分　解

　(1)　与えられるエンジンは、下記のとおりとする。
　　　　なお、エンジンの機種は事前に公表される。

　　　　空冷ガソリンエンジン
　　　　4サイクル　総行程容積(総排気量)160〜180 ccクラス

　(2)　分解部所は、下記のとおりとする。

分解部所	備考
燃料タンク	
排気消音器(マフラ)	
エアクリーナ及び気化器(キャブレータ)	
フライホイールマグネト	
タペットカバー又はヘッドカバー	
シリンダヘッド	
連結棒(コネクティングロッド)	ピストン付き

　　　(注)　上記の分解に必要なその他の箇所も含む。

　(3)　分解は、「分解基準」により行うこと。
　　　　なお、「分解基準」は事前に公表される。

　(4)　分解は、「分解基準」に示す分解順序により行い、指示された以外の部所は分解しないこと。ただし、測定用としてシリンダブロック(又はシリンダライナ)及びピストンを与えられた場合の着手順序については、技能検定委員の指示に従うこと。

　(5)　分解に当たっては、本体、部品等が損傷しないように、また、取り外した部品等が紛失しないように注意すること。
　　　　なお、取り外した部品等は、所定の整理箱に収納すること。

　(6)　分解が終了したら、挙手をして、技能検定委員に点検を求めること。

2. 測定、点検及び調整

(1) 測定、点検及び調整は、下記に示す[測定、点検及び調整基準]によるものとし、「別図1・測定部所図」を参照して行い、支給された解答用紙にその結果を記入すること。

[測定、点検及び調整基準]

測定、点検及び調整項目	図面番号	作業内容	測定器具	備考
①シリンダ内径の測定	1	A、B及びCのそれぞれについて、a方向(クランク軸方向)及びb方向(aに直角方向)の内径を測定し、解答用紙にその測定値を記入すること。	シリンダゲージマイクロメータ	シリンダゲージの0点調整に際しては、挙手をして、技能検定委員に立ち会いを求めること。
②バルブクリアランス測定	2	吸気バルブ及び排気バルブのバルブクリアランスを測定し、解答用紙にその測定値を記入すること。	すきまゲージ	バルブクリアランス測定に際しては、挙手をして、技能検定委員に立ち会いを求めること。
③点火コイルの2次線抵抗測定及び断線の判定	3	イ．抵抗値は単位を入れて、解答用紙に記入すること。 ロ．断線の有無を判定し解答用紙の「有」又は「無」のどちらかを○印で囲むこと。	回路計(サーキットテスタ)	抵抗測定に際しては、挙手をして、技能検定委員に立ち会いを求めること。
※④ブレーカ(断続器)のポイントのすきま調整	4	●クランク軸を回しブレーカ(断続器)のポイントのすきまを指示された値に調整すること。	すきまゲージ	調整後、挙手をして、技能検定委員に点検を求めること。
※④イグニッションコイルとフライホイールのすきま(エアギャップ)調整		●イグニッションコイルとフライホイールとのすきまを指示された値に調整すること。		
⑤クランク軸のフライホイール取付け部のテーパ算出	5	クランク軸のフライホイール取付け部のテーパを求め、解答用紙に記入すること。	ノギス	テーパは、下記の例に示すように表すこと。 例 $\dfrac{x}{100}$
⑥カム軸の直径及びキーみぞ幅の測定	6	カム軸の動力取出し部の直径及び指示された位置のキーみぞ幅を測定し、その測定値を解答用紙に記入すること。	マイクロメータ及びノギス	直径はマイクロメータで、キーみぞ幅はノギスで測定すること。
⑦ピストンの外径測定及びピストンとシリンダとのすきま算出	1	イ．ピストンの最下部において、b方向(ピストンピンと直角方向)の外径を測定し、解答用紙にその測定値を記入すること。 ロ．シリンダ内径C部(b方向)とのすきまを計算し解答用紙にその計算値を記入すること。	マイクロメータ	

(注) ※の項目については、与えられたエンジンに該当するほうで行うこと。

(2) シリンダゲージの0点調整は、マイクロメータを使用して行うこと。

(3) エンジンに記号が付けてあるものについては、解答用紙にその記号を記入すること。

(4) 測定、点検及び調整が終了したら、挙手をして、技能検定委員に解答用紙を提出すること。

(5) 与えられたエンジンがOHV式の場合は、バルブクリアランス測定は、エンジン分解前に行うこと。

(6) ノギスの測定結果は小数第二位を四捨五入して小数第一位まで記入すること。マイクロメータ、シリンダゲージ及びすきまゲージの測定結果は小数第二位まで記入すること。

別図1・測定部所図

図面番号	1	2
参照図	シリンダ　ピストン	サイドバルブ式　オーバーヘッドバルブ式

図面番号	3	4
参照図	点火コイル　点火プラグ　二次線　一次線　点火コイルユニット	イグニッションコイル　すきま　フライホイール　すきま　接点式点火方式　無接点式点火方式

図面番号	5	6
参照図	クランク軸	カム軸の動力取り出し部

3.　組　立

(1)　与えられた状態に組み立てること。

(2)　組立に当たっては、本体、部品等が損傷しないように、また、部品等の組忘れがないように注意すること。

(3)　組立に当たっては、確実に組み付けること。なお、ボルト・ナット等については、規定の締付けトルクは要求しないが工具等で適切に締め付けること。

(4)　組立が終了したら、挙手して、技能検定委員に終了の合図をすること。

課題2　油圧シリンダの分解組立

　　　与えられた油圧シリンダについて、次に示す〔仕　様〕に従って分解、測定及び組立を行いなさい。

〔仕　様〕

1.　分　解

(1)　与えられる油圧シリンダは、下記のとおりとする。
　　　油圧シリンダ
　　　　シリンダ内径　　50〜100 mm
　　　　重　　量　　　　20 kg以下
　　　　全　　長　　　　150 cm以下(伸長時)

(2)　分解部所は、下記のとおりとする。

分解部所	備考
シリンダヘッドアッセンブリ	取外しのみ
ピストンロッド	取外しのみ
ピストンアッセンブリ	取外しのみ

(3)　分解は、「分解基準及び分解部所図」により行うこと。
　　　なお、「分解基準及び分解部所図」は事前に公表される。

(4)　分解は、「分解基準及び分解部所図」に示す分解順序により行い、指示された以外の部所は分解しないこと。

(5)　分解に当たっては、本体、部品等が損傷しないように、また、取り外した部品等が、紛失しないように注意すること。
　　　なお、取り外した部品等は、所定の整理箱に収納すること。

(6)　分解を終了したら、挙手をして、技能検定委員に点検を求めること。

2．測　定

(1)　測定は、下記に示す[測定基準]によるものとし、「別図2・測定部所図」を参照して行い、支給された
解答用紙にその結果を記入すること。

[測定基準]

測定項目	図面番号	作業内容	測定器具	備考
ピストンロッドの曲り測定	1	定盤及びVブロックを使用してピストンロッドの曲りを測定し、解答用紙にその測定値を記入すること。	ダイヤルゲージ(マグネットベース付き)	ピストンロッド支持支点距離は、できる限り最長とすることとし、測定個所は、支持支点距離のほぼ中央とする。
ピストンロッドブシュの内径の測定	2	ピストンロッドブシュの内径において、a方向(ピストンロッド長手方向)及びb方向(aに直角方向)を測定し、解答用紙にその測定値を記入すること。	ノギス	2面ある場合には、指示された1面で行うこと。

(2)　油圧シリンダに記号が付けてあるものについては、解答用紙にその記号を記入すること。

(3)　測定が終了したら、挙手をして、技能検定委員に解答用紙を提出すること。

(4)　ノギスの測定結果は小数第二位を四捨五入して小数第一位まで記入すること。ダイヤルゲージの測定
結果は小数第二位まで記入すること。

別図2・測定部所図

図面番号	1	2
参照図		

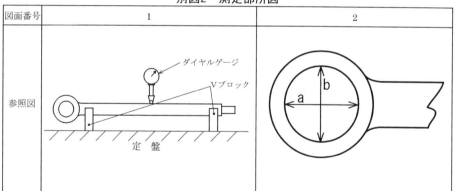

3．組　立

(1)　与えられた状態に組み立てること。

(2)　組立に当たっては、本体、部品等が損傷しないように、また、部品等に組忘れがないように注意する
こと。

(3)　組立に当たっては、確実に組み付けること。ただし、規定の締付けトルクは要求しない。

(4)　折曲げ座金は、折り曲げないこと。

(5)　止めワイヤ、割りピンはないものとし、また、もどり止めナット(セルフロッキングナット)の場合
は、その効果は問わないこととする。

(6)　オイルシール、Oリング等はそのまま使用すること。

(7)　組立が終了したら、挙手をして、技能検定委員に終了の合図をすること。

課題3　加工作業

　　次に示す[仕　様]に従って、加工及び組立を行いなさい。

[仕　様]

1.　試験用材料(支給材料)は、下記のとおりとする。

品名	寸法又は規格	数量	備考
鋼板	SS400(旧記号SS41)相当品 150×110×9(mm)	1	
丸棒鋼	みがき棒鋼SGD 400·D丸(旧記号SGD 41·D) φ12×100(mm)	1	
みぞ付き六角ナット	1種　M12	1	
割りピン	呼び径×長さ 2×25、2.5×25、3.2×25(mm)	各1	JIS B 1351参照
スペーサ	配管用炭素鋼鋼管 SGP黒管10A又は3/8B 外径17.3 mm、肉厚2.3 mm、長さ33 mm	1	

2.　加工及び組立は、「別図3・加工及び組立図」によるものとするが、次の事項に留意すること。

　(1)　加工

　　イ．鋼板にけがきを行ってから、加工に入ること。

　　ロ．三辺ともガス切断すること。

　　ハ．一辺が100 mmの正三角形とすること。

　　ニ．ガス切断面は、やすり等で仕上げをしないこと。ただし、ガス切断時に生じた溶解のばり取りは、
　　　　完全に行い、その部分はやすり等で仕上げを行ってもよい。

　(2)　組立

　　　三角形板の1つのボルト穴にスタッドボルトを植え込み、スペーサを入れてみぞ付き六角ナットを締め
　　付け、割りピンで、みぞ付き六角ナットをロックすること。

3.　作業が終了したら、挙手をして、技能検定委員に終了の合図をし、組立品を提出すること。

別図3・加工及び組立図

加工図

1. 正三角形板

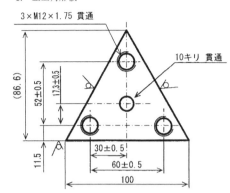

3×M12×1.75 貫通
10キリ 貫通
(86.6)
52±0.5
17.3±0.5
11.5
30±0.5
60±0.5
100

(注)図中の（　）寸法は参考寸法である。

仕上げ記号新旧対応表	
新記号	旧記号
∀	～

2. スタッドボルト

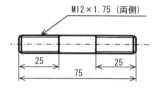

M12×1.75（両側）
25　25
75

(注)丸棒鋼を上図のように加工すること。
　　端面は、やすりで荒仕上げを行うこと。

組立図

※組立図の状態で提出すること。

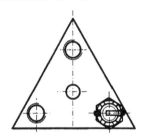

番号	部品名
1	スタッドボルト
2	みぞ付き六角ナット
3	割りピン
4	スペーサ
5	正三角形板

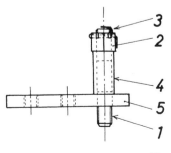

3
2
4
5
1

1級建設機械整備（建設機械整備作業）実技試験（製作等作業試験）使用工具等一覧表

1. 受検者が持参するもの

区分	品名	寸法又は規格	数量	備考
工具類	十字ねじ回し(+ドライバ)	2番、3番	各1	
	ねじ回し(－ドライバ)	6×100、8×150	各1	
	すきまゲージ	6枚以上の組のもの	1	
	金属製直尺(スケール)	目量1 mm 300 mm測定可能なもの	1	
	けがき針		1	
	センタポンチ		1	
	片手ハンマ		1	
	やすり	平やすりの荒目及び中目 250 mm又は300 mm	各1	柄付き
	スパナ	19 mm	1	
	ノギス	最大測定長　150 mm程度	1	(アナログ式又はデジタル式)
	メガネレンチ	19 mm	1	
	ペンチ		1	
	けがき用コンパス		1	
その他	工具箱		1	工具類収納用(袋でもよい)
	チョーク		1	
	ウエス		若干	
	作業服等	長袖作業服、安全靴、ガス溶断に必要な保護具（足カバー、腕カバー等）及びヘルメット（又は作業帽）	一式	
	溶接用革手袋		1組	
	保護眼鏡	ガス切断用着色眼鏡及びボール盤用無着色眼鏡	各1	
	筆記用具		一式	
	ガス溶接技能講習修了証又はその他ガス溶接作業の資格を証する書面		1	
	飲料		適宜	熱中症対策、水分補給用

(注) 1. 持参するものは、上記のものに限る。

2. 上記のものは、[課題1]、[課題2]及び[課題3]に共用してもよい。

3.「飲料」については、受検者が各自で試験当日の天候、気温等を考慮の上、熱中症対策、水分補給用として、適宜、持参すること。

2. **試験場で準備するもの**

（数量欄の数字は、特にことわりのない限り、受検者1人当たりの数量を示す。）

(1) ［ 課　題　1 ］

区分	品名	寸法又は規格	数量	備考
試験機械	※空冷ガソリンエンジン	4サイクル、総行程容積（総排気量)160〜180 ccクラス	1	
設備等	スパナ	課題に適するもの	1組	
	ソケットレンチ	課題に適するもの	1組	ハンドルを含む
	片手ハンマ	1/4〜1番	1	フライホイール取り外し用、銅、ゴム、プラスチック製等
	シリンダゲージ	目量0.01 mm	1組	試験機械に適したもの
	回路計		1	(アナログ式又はデジタル式)
	外側マイクロメータ	測定範囲25 mm及び75 mm測定可能なもの目量0.01 mm	各1	スタンド付き
	作業台		1	
	整理箱		1	分解部品収納用
	ウエス		適宜	
	ピストンリングコンプレッサ		1	

(注)　※印には、測定用として、別途シリンダブロック(又はシリンダライナ)及びピストンが各1準備される場合もある。

(2) ［ 課 題 2 ］

区分	品名	寸法又は規格	数量	備考
試験機械	油圧シリンダ	シリンダ内径50～100 mm 重量20 kg以下 全長150 cm以下(伸長時)	1組	
設備等	分解台	課題に適したもの	1組	
	シリンダヘッドアッセンブリ緩め用工具	課題に適したもの	一式	特殊スパナ(アジャスタブルフックレンチ)、スパナ、ねじ回し等
	ピストンアッセンブリ取外し用スパナ	課題に適したもの	一式	
	ピストンロッド受け台	課題に適したもの	1	
	ダイヤルゲージ	課題に適したもの 目量0.01 mm	1	マグネットベース付き
	定盤		1	ピストンロッド曲り測定に使用できるものでもよい。
	Vブロック		2	
	作業台		1	
	整理箱		1	分解部品収納用
	作動油		適宜	
	グリース		適宜	
	ウエス		適宜	
	片手ハンマ	1/4～1番	1	銅、ゴム、プラスチック製等

(3) ［ 課 題 3 ］

区分	品名	寸法又は規格	数量	備考
試験用材料	材料一式	P.7に示すもの*	一式	
設備等	卓上ボール盤又はボール盤	穴あけ能力12 mm以下	1/1～3人	ドリルチャック及びハンドルを含む
	携帯用電気ドリル	穴あけ能力6 mm以下	1/1～3人	ハンドルを含む
	けがき定規		1	
	作業台		1	
	油及び油はけ		適宜	切削用
	ストレートシャンクドリル	2.5、3、3.2、3.5、9.5、10、10.2、10.4、10.5、11 mm	各1	
	ボール盤用万力	口の開き120 mm以上	1	
	等径ハンドタップ	メートル並目ねじ用 M12×1.75	1	
	タップハンドル		1	
	ナット	M12×1.75	2	スタッドボルト植込み用
	ねじ切り丸ダイス	M12×1.75	1	
	ダイスハンドル		1	
	ダイスハンドルのダイスロック用工具		1	スパナ又は六角レンチ
	ダイスアジャストスクリュードライバ		1	
	ダイス切削用グリース		適宜	油でもよい
	卓上万力	口の開き　120 mm以上	1	口金を含む
	金切りのこ		1	
	木片		1	穴あけ用下じき
	ガス切断用装置		一式	
	ガス切断用作業台		1	
	鉄板		1	ガス切断くず受け用
	ライタ		1	着火用
	ガス切断用定規	直線バー	1	
	冷却水及び容器		1	
	火ばさみ	平形	1	プライヤ可

＊本書では P.48

実技試験(計画立案等作業試験)について

1. **統一実施日**

    令和5年8月27日(日)

2. **試験時間**

    1時間20分

3. **問題の概要**

    作業の段取り、故障の発見、修理、点検、分解、組立、調整、測定、工数見積り等について行う。

4. **持参用具等**

品名	寸法又は規格	数量
筆記用具	鉛筆、消しゴム等	一式
電子式卓上計算機	電池式（太陽電池式含む）	1

令和5年度　技能検定
1級建設機械整備（建設機械整備作業）
実技試験(計画立案等作業試験)問題

1　試験時間

　　1時間20分

2　注意事項

(1)　係員の指示があるまで、この表紙はあけないでください。

(2)　解答用紙に、受検番号及び氏名を必ず記入してください。

(3)　係員の指示に従って、この試験問題が表紙を含めて8ページであることを確認してください。

　　　それらに異常がある場合は、黙って手を挙げてください。

(4)　試験開始の合図で始めてください。

(5)　解答は、解答用紙の解答欄に記入してください。

　　　なお、要求している解答以外は記入しないでください。

(6)　試験中は、スマートフォン、ウェアラブル端末等の使用（電卓機能の使用を含む）を禁止とします。

(7)　試験中、質問があるときは、黙って手を挙げてください。ただし、試験問題の内容、漢字の読み方
　　　等に関する質問にはお答えできません。

(8)　試験終了時刻前に解答ができあがった場合は、黙って手を挙げて、係員の指示に従ってください。

(9)　試験中に手洗いに立ちたいときは、黙って手を挙げて、係員の指示に従ってください。

(10)　試験終了の合図があったら、筆記用具を置き、係員の指示に従ってください。

(11)　試験終了後、解答用紙を提出してください。

(12)　計算等は、問題用紙の余白又は裏面を使用して行ってください。

3　試験に使用できる用具等一覧

品　　　名	寸法又は規格	数量	備　　　　考
筆記用具等	鉛筆、消しゴム等	一式	
電子式卓上計算機	電池式（太陽電池式含む）	1	

問題 1

エンジン動力試験機に関し設問1及び設問2に答えなさい。

設問1　エンジン動力試験機としての水動力計に関する記述の（　①　）〜（　⑥　）内に当てはまる適切な語句を下記の語群より一つずつ選び、その記号を解答欄に記入しなさい。
　　　　ただし、同じ記号を重複して使用しないこと。

　　　　概略的な構造は、本体ケーシングの中央部に（　①　）が固定され、その側面に（　②　）が主軸と固定されている。エンジンに駆動されている水動力計に給水を始めると、水が給水管を経て（　③　）に入り、内部を還流する。このとき発生する水の（　④　）によりエンジンの（　⑤　）を吸収する。
　　　　この（　⑤　）を本体ケーシングに取り付けられた（　⑥　）に接続した荷重計で読み取る。

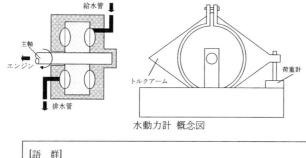

水動力計　概念図

[語　群]
ア．翼車室　　　　イ．固定翼車　　　　ウ．回転翼車
エ．抵　抗　　　　オ．出　力　　　　　カ．トルクアーム

設問2　ディーゼルエンジンを水動力計で測定したところ以下の結果を得た。問1〜問4に答えなさい。
　　　　なお、解答は解答欄に記入すること。

　　　　測定結果
　　　　・回転数1,800 min^{-1}のとき、荷重計の読みは1,412 Nであった。
　　　　・0.6 ℓの燃料を消費するのに41.8秒かかった。
　　　　・この動力計のトルクアームの長さは0.716 mであった。
　　　　・燃料（軽油）の比重は0.83であった。
　　　　なお、動力の計算式は次式とする。

$$\frac{荷重(N)×トルクアームの長さ(m)×回転数(min^{-1})}{9,550}=動力(kW)$$

問1　このときのトルクを求めなさい。
　　　ただし、単位はN・mとする。また、解答は小数点以下を四捨五入し整数とする。
問2　このときの動力を求めなさい。
　　　ただし、単位はkWとする。また、解答は小数点以下を四捨五入し整数とする。
問3　このときの燃料消費量を求めなさい。
　　　ただし、単位はkg/hとする。また、解答は小数点第2位を四捨五入し小数点第1位までとする。
問4　このときの燃料消費率を求めなさい。
　　　ただし、単位はg/kW・hとする。また、解答は小数点以下を四捨五入し整数とする。

問題2　エンジンの始動回路に関する記述の（　①　）〜（　⑪　）内に当てはまる語句を下記の語群から一つ
　　　ずつ選び、その記号を解答欄に記入しなさい。
　　　なお、同じ記号を重複して使用してもよい。

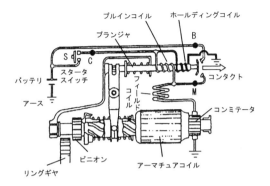

(1)　スタータスイッチを入れると、電流はC端子から（　①　）⇒フィールドコイル⇒（　②　）の順に流れて、
　　アーマチュアはゆっくりと回りはじめる。同時に（　③　）と（　④　）の磁力により、プランジャが右側(矢
　　印方向)に移動することによって、（　⑤　）はリングギヤとかみ合う。そして、コンタクトが（　⑥　）と、
　　大電流がアーマチュアに流れて、スタータモータは強力に回転する。このとき、プランジャは、C端子
　　とM端子が同電位となり、（　⑦　）の磁力はなくなるが、（　⑧　）の磁力によって保持されている。

(2)　C端子とバッテリのプラス端子を接続したときに、電流値が無負荷回転時の規定値よりも小さくかつ
　　スタータモータが回転しない場合は、プルインコイルの（　⑨　）が考えられ、電流値が正常値よりも小
　　さくかつスタータモータがゆっくり回り、回転が上がらない場合は、（　⑩　）の焼損(破損)が考えられる。
　　　一方、無負荷回転時の規定値よりも大きな電流が流れているにもかかわらず、全力空転とならない場
　　合には、フィールドコイル又はアーマチュアコイルの（　⑪　）が考えられる。

【語　群】

ア．C	イ．M	ウ．開　く	エ．断　線
オ．閉じる	カ．プルインコイル	キ．アーマチュアコイル	ク．ピニオン
ケ．接触不良	コ．アース不良	サ．ホールディングコイル	シ．コンタクト
ス．部分ショート			

問題 3　下図は、油圧ショベルの作業装置旋回用油圧モータ回路(図 1 油圧回路図、図 2 油圧モータ断面
図、図 3 モジュレーティングリリーフバルブ特性図の一例を示したものである。説明文の(1)～
(9)内に当てはまる語句を下記の語群より一つずつ選び、その記号を解答欄に記入しなさい。
ただし、同一記号を重複して使用しないこと。

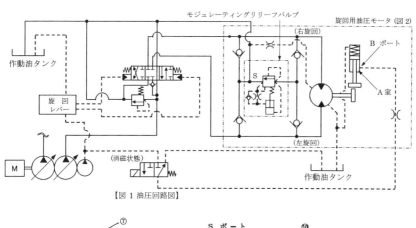

【図 1 油圧回路図】

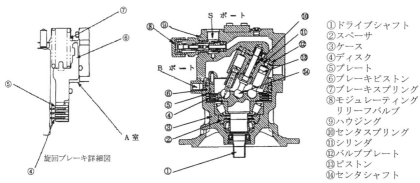

①ドライブシャフト
②スペーサ
③ケース
④ディスク
⑤プレート
⑥ブレーキピストン
⑦ブレーキスプリング
⑧モジュレーティング
　リリーフバルブ
⑨ハウジング
⑩センタスプリング
⑪シリンダ
⑫バルブプレート
⑬ピストン
⑭センタシャフト

【図2 油圧モータ断面図】

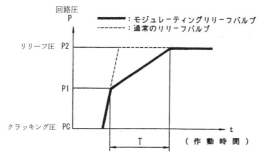

【図3 モジュレーティングリリーフバルブ特性図】

(説明文)

　【図1 油圧回路図】において、旋回ブレーキ制御用ソレノイドバルブが「消磁」のときには、Bポートは
タンク回路に通じ、【図2 油圧モータ断面図】のブレーキピストン⑥は、（　1　）により（　2　）に押され、
ディスク④、プレート⑤を押し付けて、（　3　）の状態となる。

　旋回ブレーキ制御用ソレノイドバルブが（　4　）されるとソレノイドバルブが切り換わり、圧油がBポ
ートに入り、A室に流れ込む。A室に入った圧油はブレーキスプリング⑦に（　5　）、ブレーキピストン⑥
を上側に押す。これによりディスク④、プレート⑤が離れ（　6　）の状態になる。

　旋回モータのリリーフバルブには【図3 モジュレーティングリリーフバルブ特性図】に示すようにリ
リーフ圧の（　7　）を押さえ、旋回起動・停止時のショックを（　8　）する働きをするモジュレーティング
リリーフバルブが使われている。

　旋回用の回路圧Pがリリーフバルブのクラッキング圧PCより低いときには、リリーフバルブは作動
（　9　）。

【語　群】

ア．押され	イ．負けて	ウ．増加	エ．急下降
オ．下側	カ．上側	キ．励磁	ク．急上昇
ケ．緩慢上昇	コ．緩慢下降	サ．消磁	シ．しない
ス．打ち勝って	セ．遮断	ソ．追従	タ．する
チ．軽減	ツ．閉じ	テ．開き	ト．ブレーキスプリング⑦
ナ．ブレーキ解除	ニ．バルブプレート⑫	ヌ．シリンダ⑪	ネ．センタスプリング⑩
ノ．ブレーキ効き	ハ．ピストン⑬	ヒ．ハウジング⑨	

問題4　油圧シリンダ単体が修理のため、整備工場に持ち込まれた。以下の設問1及び設問2に答えなさい。

設問1　点検の結果、以下に示す「作業内容及び標準作業時間」(表1)、「交換部品」(表2)が必要と判明した。
　　　　この油圧シリンダの修理見積金額の合計を算出し、解答欄に記入しなさい。
　　　　ただし、①工賃原価は、1時間当たり6,500円とする。
　　　　　　　　②標準作業時間及び交換部品等の原価に10%の利益を上乗せした金額で見積もることと
　　　　　　　　し、消費税は含めないこととする。
　　　　　　　　③工賃原価及び表2の原価には、管理費がすでに含まれているものとする。
　　　　また、求めた数値に小数の端数が生じた場合は、小数第1位を四捨五入すること。

（表1）作業内容及び標準作業時間

作　業　内　容	標準作業時間（H）
油圧シリンダ分解組立 [下記作業を含まない]	2.0
シールキット一式交換	0.5
ブッシング一式交換	1.0
シリンダロッドめっき	（外注 交換部品として扱う）
組立完了後の油漏れ試験	1.0
合　　　　計	4.5

（表2）交換部品（めっき作業を含む）の原価

部　品　名　等	原価（円）
シールキット一式	30,000
ブッシング一式	15,000
フィッティング	100
めっき作業（外注）	32,000
合　　　計	77,100

※フィッティング交換は油圧シリンダ分解組立工賃の中に含む

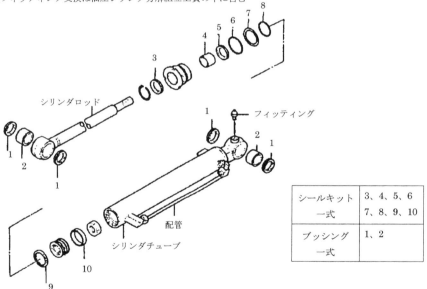

シリンダロッド
フィッティング
配管
シリンダチューブ

シールキット一式	3、4、5、6 7、8、9、10
ブッシング一式	1、2

設問2　全体の修理の利益を原価の16%に変更したい。作業費の見積り金額を設問1のとおりとした場合、
　　　　交換部品（めっき作業を含む）の合計をいくらにして見積りすればよいか算出し、解答欄に記入しなさ
　　　　い。

問題5　下表は、あるメーカーの油圧ショベルの油圧装置における異常の有無を調べる点検項目一覧である。以下の設問1～設問4に答えなさい。

【点検項目一覧】

記号	点検項目	記号	点検項目
ア	旋回停止時の流れ量の測定	イ	走行速度の測定
ウ	油圧シリンダリーク量の測定	エ	傾斜地旋回モーターリーク量の測定
オ	油圧シリンダ速度の測定	カ	傾斜地走行モータースリップ量の測定
キ	走行曲り角(距離)の測定	ク	油量の点検

設問1　下図のように車体を水平状態におき、フロントアタッチメントを伸ばした基準姿勢で、バケットを接地させてエンジンを停止して実施するものを上記【点検項目一覧】から1つ選び、その記号を解答欄に記入しなさい。

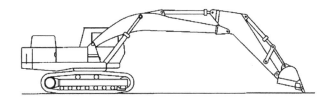

設問2　下図のように車体を傾斜地におき、斜面に対して上部旋回体を90°に位置させ、最大作業半径からバケットをクラウドさせ地面から浮かせた姿勢で旋回輪及びトラックフレームにテープなどで目印をつけて実施するものを上記【点検項目一覧】から1つ選び、その記号を解答欄に記入しなさい。

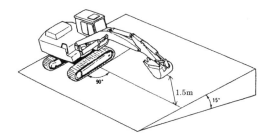

設問3　下図のように平坦地で20 m走行させて実施するものを前記【点検項目一覧】から2つ選び、その記号を解答欄に記入しなさい。

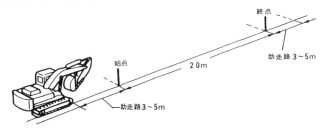

設問4　下図のように坂路を登り走行レバーを中立にする。エンジンを停止しトラックリンク（又はシュー）とサイドフレームとに合いマークをつけて実施するものを前記【点検項目一覧】から1つ選び、その記号を解答欄に記入しなさい。

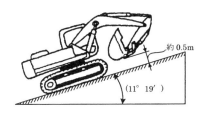

令和4年度技能検定
1級建設機械整備（建設機械整備作業）
実技試験（計画立案等作業試験）問題

1　試験時間

　　1時間20分

2　注意事項

　(1)　係員の指示があるまで、この表紙はあけないでください。

　(2)　解答用紙に、受検番号及び氏名を必ず記入してください。

　(3)　係員の指示に従って、この試験問題が表紙を含めて6ページであることを確認してください。
　　　それらに異常がある場合は、黙って手を挙げてください。

　(4)　試験開始の合図で始めてください。

　(5)　解答は、解答用紙の解答欄に記入してください。
　　　なお、要求している解答以外は記入しないでください。

　(6)　試験中は、スマートフォン、ウェアラブル端末等の使用（電卓機能の使用を含む）を禁止とします。

　(7)　試験中、質問があるときは、黙って手を挙げてください。ただし、試験問題の内容、漢字の読み方
　　　等に関する質問にはお答えできません。

　(8)　試験終了時刻前に解答ができあがった場合は、黙って手を挙げて、係員の指示に従ってください。

　(9)　試験中に手洗いに立ちたいときは、黙って手を挙げて、係員の指示に従ってください。

　(10)　試験終了の合図があったら、筆記用具を置き、係員の指示に従ってください。

　(11)　試験終了後、解答用紙を提出してください。

　(12)　計算等は、問題用紙の余白又は裏面を使用して行ってください。

3　試験に使用できる用具等一覧

品　　名	寸法又は規格	数量	備　　　考
筆記用具等	鉛筆、消しゴム等	一式	
電子式卓上計算機	電池式（太陽電池式含む）	1	

問題1　つり上げ荷重25トンのホイールクレーンで、最大ジブ長さ28 mで変更検査を行うことになった。
　　　7トン及び4トンの試験荷重を準備することにした場合、それぞれの試験荷重で荷重試験を行う場合の作業半径を求め、その最も近い値を下記の数値群の中から一つずつ選び、その記号(ア〜ク)を解答欄に記入しなさい。
　　　ただし、同一記号を重複して使用してもよい。
　　　なお、玉掛け用ワイヤロープの質量は無視するものとする。

参考：変更検査時の試験項目
　　　①　各部の構造及び機能の点検
　　　②　荷重試験（定格荷重の1.25倍の荷、定格荷重が200トンを超えるときは、定格荷重に50トンを加えた荷重）
　　　③　安定度試験（定格荷重の1.27倍の荷）

条件
　1．使用フック　　　質量0.3トン（どちらの試験荷重の場合にも使用する。）
　2．定格総荷重表（ジブ長さ28 m用）下図

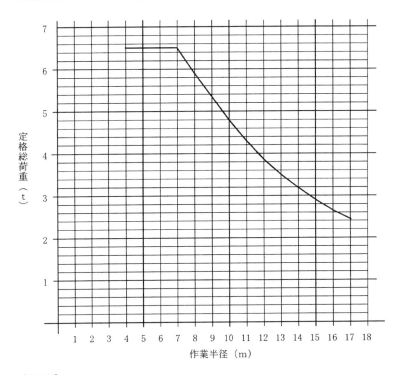

縦軸：定格総荷重（t）　横軸：作業半径（m）

【数値群】

ア．7 m	イ．8 m	ウ．9 m	エ．10 m
オ．11 m	カ．12 m	キ．13 m	ク．14 m

問題2　水冷式ディーゼルエンジンについて以下の設問1及び設問2に答えなさい。

設問1　次の記述は、エンジンのバルブブリッジの調整について述べたものである。記述中の（　①　）～
（　⑧　）に当てはまる適切な語句を下記の語群から一つずつ選び、その記号を解答欄に記入しなさい。
なお、同じ記号を重複して使用してもよい。

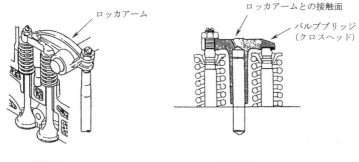

全体図　　　　　　　　　　　　　　　　断面図

　　バルブブリッジは、1個のロッカアームで2個のバルブを作動させるためのものである。各組のバルブ
を等しく作動させるために、バルブブリッジの調整を行う必要がある。

　　調整要領は、（　①　）をゆるめ、（　②　）を戻す。バルブブリッジを2個の（　③　）に均等に接触させる
ため、（　④　）を軽く指で押さえて、（　⑤　）を（　⑥　）に接触するまでねじ込む。この位置で、（　⑦　）
が回転しないように、（　⑧　）を締め付ける。

【語群】

記号	語句	記号	語句	記号	語句	記号	語句
ア	バルブスプリング	イ	回転力	ウ	プッシュロッド	エ	アジャストスクリュ
オ	バルブステム	カ	バルブガイド	キ	ストッパボルト	ク	ロッカアームとの接触面
ケ	ロックナット	コ	スナップリング				

設問2　水温が上がり過ぎるという不具合が起きた場合、その原因として適切なものを下記の語群の中から
4つ選び、その記号を解答欄に記入しなさい。

【語群】

記号	項目	記号	項目
ア	リヤシール面の摩耗、損傷	イ	サーモスタットの不良（開かない）
ウ	ピストンリングの摩耗	エ	ウォータポンプの不良
オ	ファンベルトの滑り	カ	ラジエータフィンの詰まり、つぶれ
キ	バルブステムガイドの摩耗	ク	シリンダの摩耗

問題3　下図に示すセーフティリレー回路に関する記述の（　①　）～（　⑩　）内に当てはまる適切な語句を
　　　　下記の語群より一つずつ選び、その記号(ア～チ)を解答欄に記入しなさい。
　　　　　ただし、同一記号を重複して使用してもよい。

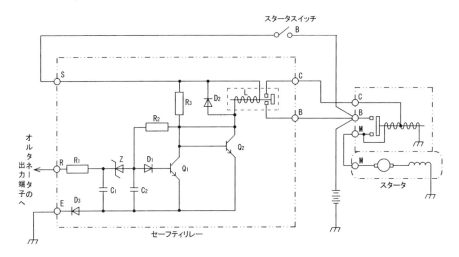

(1)　スタータスイッチを「始動」位置にすると、セーフティリレーの（　①　）端子に電圧が印加される。電
　　流は、抵抗（　②　）を通って、トランジスタ（　③　）のベースに流れるので、リレーのコイル（　④　）に
　　電流が流れ、その接点が「ON」となって、B端子とC端子は導通状態となる。

(2)　B端子とC端子が導通状態となるとスタータのマグネットのB端子とM端子が導通し、スタータは
　　回転する。

(3)　エンジンが始動しスタータスイッチから手を離すとスタータスイッチは「入(ON)」位置に自動で戻る。
　　オルタネータが発電を開始すると、その電圧が（　⑤　）端子に印加される。

(4)　この電圧が規定電圧に達すると定電圧ダイオード(ツェナーダイオード)（　⑥　）が「ON」状態となる。
　　この結果、トランジスタ（　⑦　）が「ON」状態となり、トランジスタ（　⑧　）が「OFF」状態となる。従
　　って、リレーのコイル（　⑨　）は（　⑩　）となり、B端子とC端子は断線状態となる。

(5)　このため、エンジンが運転され、オルタネータが発電している時は、スタータスイッチを「始動」の
　　位置にしてもスタータには電流が流れない。

【語　群】

ア. C_1	イ. C_2	ウ. D_1	エ. D_2	オ. D_3
カ. E	キ. L	ク. Q_1	ケ. Q_2	コ. R
サ. R_1	シ. R_2	ス. R_3	セ. S	ソ. Z
タ. ON	チ. OFF			

問題4　下図は移動式クレーンのジブ(ブーム)起伏ウインチ用油圧回路の一例である。この油圧回路に関する記述の（　①　）～（　⑩　）内に当てはまる適切な語句を下記の語群より一つずつ選び、その記号(ア～ト)を解答欄に記入しなさい。ただし、同一記号を重複して使用してもよい。

　　　なお、ブレーキ開放回路については考えなくてよい。

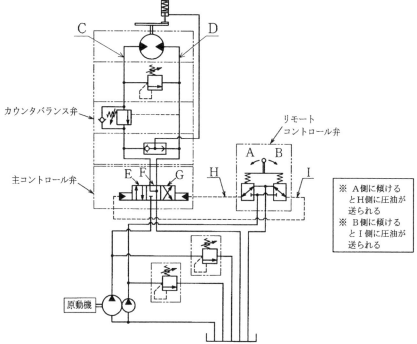

　ウインチの巻上げ操作は操作レバーを（　①　）側に傾けて、リモートコントロール弁の（　②　）側から主コントロール弁に圧油が送られ、主コントロール弁は（　③　）側のポジションに切り替わり、カウンタバランス弁の（　④　）弁を通り油圧モータを回転させて行われる。

　カウンタバランス弁は、荷重を（　⑤　）する働きがあり、巻上げ・巻下げ操作をしていないときは回路（　⑥　）側の圧力が負荷を支えている。

　巻下げ時は油圧回路（　⑦　）側に圧力が発生するためカウンタバランス弁のスプールが押し開かれ（　⑧　）側の圧油がタンクへと逃がされる。これにより、油圧モータが回りジブが降下する。油圧モータへの給油量がジブの降下に追いつかなくなると（　⑨　）側圧力が無くなるため、カウンタバランス弁のスプールが元に戻りジブ降下が停止し、（　⑩　）が防止される。

【語　群】

ア．A	イ．B	ウ．C	エ．D
オ．E	カ．F	キ．G	ク．H
ケ．I	コ．保護	サ．チェック	シ．安全
ス．ハンチング	セ．アンロード	ソ．軽減	タ．保持
チ．リリーフ	ツ．キャビテーション	テ．チャタリング	ト．逸走

問題5　ブルドーザ(10トンクラス)のトラックローラ(下部ローラ)が油漏れしているため、どの程度修理費用がかかるか見積って欲しいとの依頼があった。実車点検結果、下記の修理内容で見積もることとした。

設問1　部品カタログ・価格表及び工数表を参照し、修理見積り金額を算出しなさい。

実車点検結果
○　右図に示すブルドーザ
○　トラックローラの右側前から2番目のダブルフランジのローラで、両側から油漏れがある。
○　他のローラは、油漏れがない。

修理内容
○　油漏れのトラックローラ1個を取り外し、オーバーホールすることとした。交換部品は、図番①②③⑩とする。

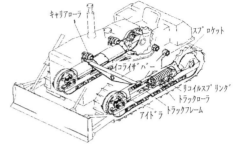

キャリアローラ
スプロケット
イコライザ バー
リコイルスプリング
トラックローラ
アイドラ　トラックフレーム

部品カタログ・価格表

図番	名称	数量	単価(円)
①	ボルト	4	250
	ワッシャ	4	170
②	Oリング	2	300
③	リング	2	250
④	プラグ	1	180
⑤	ローラ	1	15,000
⑥⑦	ベアリング・アッセン	2	42,000
⑧	シャフト	1	9,800
⑨	カラー	2	5,500
	ワッシャ	2	2,100
⑩	シールグループセット(ゴムリング含む)	2	12,000

見積り条件

　工賃は、8,000円 / 時間とし、消費税は含まないものとする。なお、工数は下記の工数表から3つの作業項目を選ぶこと。

工数表

作業項目	作業範囲(含まれるもの)	時間
履帯アッセン両側切離し・組み付け	車体保持(ジャッキアップ含む)　履帯アッセン張り調整	4.0
履帯アッセン片側切離し・組み付け	車体保持(ジャッキアップ含む)　履帯アッセン張り調整	2.5
トラックフレーム両側脱着(履帯アッセン取り外し後)	トラックフレームガード脱着　スプロケットガード脱着	8.0
トラックフレーム片側脱着(履帯アッセン取り外し後)	トラックフレームガード脱着　スプロケットガード脱着	5.0
トラックローラ脱着(1個)	ローラガード脱着・タップ立て	1.0
トラックローラ分解組立て(1個)	洗浄・オイル給排	1.0

設問2　部品原価は、部品カタログ・価格表の価格の80%であり、工賃原価は、6,000円 / 時間である。この場合の利益額を算出しなさい。ただし、部品原価及び工賃原価には、管理費が含まれているものとする。

令和3年度技能検定
1級建設機械整備（建設機械整備作業）
実技試験(計画立案等作業試験)問題

1 試験時間

    1時間20分

2 注意事項

(1) 係員の指示があるまで、この表紙はあけないでください。

(2) 解答用紙に、受検番号及び氏名を必ず記入してください。

(3) 係員の指示に従って、この試験問題が表紙を含めて6ページであることを確認してください。

    それらに異常がある場合は、黙って手を挙げてください。

(4) 試験開始の合図で始めてください。

(5) 解答は、解答用紙の解答欄に記入してください。

    なお、要求している解答以外は記入しないでください。

(6) 試験中は、携帯電話、スマートフォン、ウェアラブル端末等の使用（電卓機能の使用を含む）を禁止とします。

(7) 試験中、質問があるときは、黙って手を挙げてください。ただし、試験問題の内容、漢字の読み方等に関する質問にはお答えできません。

(8) 試験終了時刻前に解答ができあがった場合は、黙って手を挙げて、係員の指示に従ってください。

(9) 試験中に手洗いに立ちたいときは、黙って手を挙げて、係員の指示に従ってください。

(10) 試験終了の合図があったら、筆記用具を置き、係員の指示に従ってください。

(11) 試験終了後、解答用紙を提出してください。

(12) 計算等は、問題用紙の余白又は裏面を使用して行ってください。

3 試験に使用できる用具等一覧

品 名	寸法又は規格	数量	備 考
筆記用具等	鉛筆、消しゴム等	一式	
電子式卓上計算機	電池式（太陽電池式含む）	1	

問題1　下記の文章は、建設機械の中型エンジン用スタータモータの分解整備について記述したものである。
スタータモータの分解図（図A）及び使用限度基準表（表B）を参考に、記述の（　①　）～（　⑩　）
内に当てはまる適切な語句を下記の語群より一つずつ選び、その記号（ア～ソ）を解答欄に記入しな
さい。
ただし、同一記号を重複して使用してもよい。

(1) 分解後アーマチュアコイルASS'Y及びフィールドコイルASS'Yの絶縁を点検する場合、
　　a) アーマチュアコイルの絶縁抵抗は（　①　）とアーマチュアコイルコア間で測定する。
　　b) フィールドコイルの絶縁抵抗は（　②　）端子と（　③　）間で測定する。
(2) アーマチュアコイルの点検は（　④　）の各セグメント間の導通の有無を調べる。導通がない場合は
　　（　⑤　）である。
(3) コンミテータのブラシ接触面外径寸法の測定結果は、最大外径が48.5 mm、最小外径が48.0 mmであっ
　　た。この寸法測定結果から、外径寸法については（　⑥　）、真円度(振れ)については（　⑦　）であ
　　ることから、このコンミテータは切削加工をする（　⑧　）。
(4) ブラシ摩耗量点検のため、その長さ寸法の測定を行った結果19.5 mmであった。この寸法は（　⑨　）
　　であるので、このブラシは再使用が（　⑩　）である。

（図A）

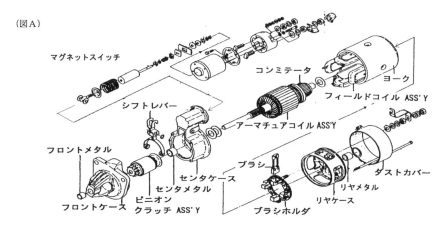

（表B）

使 用 限 度 基 準 表		
部　　品　　名	基準値	限度値
コンミテータ外径寸法	49.0 mm	46.0 mm
コンミテータ真円度（振れ）	0.03 mm	0.20 mm
ブラシの寸法（長さ）	22.0 mm	15.0 mm

【語　群】

ア．ピニオン	イ．ブラシホルダ	ウ．マグネットスイッチ
エ．ヨーク	オ．コンミテータ	カ．フィールドコイル
キ．ブラシ	ク．必要がある	ケ．必要がない
コ．短絡	サ．断線	シ．可能
ス．不可能	セ．使用限度内	ソ．使用限度外

問題2　下図のエンジン性能曲線図は、ある油圧ショベルに搭載されているディーゼルエンジンのもので、最大出力203 kW／1900min⁻¹、最大トルク1100 N・m／1600min⁻¹である。このエンジンに関する下記の文章の空欄(①)～(⑩)に当てはまる最も適切な数値を下記の語群から一つずつ選び、その記号（ア～ツ）を解答欄に記入しなさい。

ただし、1 ℓ=1000 cm³ とする。

なお、同一記号を重複して使用してもよい。

(1) エンジン回転速度が 1500 min⁻¹の時、軸出力は(①) kW、燃料消費率は(②) g/ kW・h である。

(2) 最大トルク発生回転数で連続運転をした際の燃料消費量を求める式は、軽油の密度を 0.84 g/cm³、動力負荷率を 80%、稼働時間率を 50%とすると、次のとおりとなる。

燃料消費量

$$= \frac{出力(③)\ \ kW×稼働時間率(④)×動力負荷率(⑤)×燃料消費率(⑥)\ g/\ kW・h}{軽油の密度 0.84\ g/cm³×(⑦)}$$

≒ (⑧) ℓ/h

また、動力負荷率を 50%とした場合の燃料消費量は約(⑨) ℓ/h となる。

(3) 最大トルク発生回転数で 10 分間の連続運転を6回行うのに必要な軽油の量は、軽油の密度を 0.84 g/cm³、動力負荷率は考慮しない場合、約(⑩) ℓとなる。

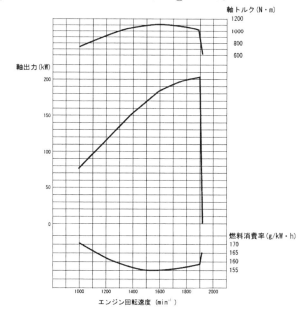

「エンジン性能曲線図」

【語　群】

ア. 0.5	イ. 0.8	ウ. 0.84	エ. 8.5	オ. 13.7	カ. 29
キ. 34	ク. 101	ケ. 150	コ. 155	サ. 160	シ. 170
ス. 180	セ. 185	ソ. 202	タ. 950	チ. 1000	ツ. 1050

問題3　下図は建設機械の動力伝達装置に使用されているプロペラシャフトの構造を示したものである。文中の(①)～(⑩)内に当てはまる適切な語句を下記の語群より一つずつ選び、その記号(ア～タ)を解答欄に記入しなさい。
　　　　ただし、同一記号を重複して使用しないこと。

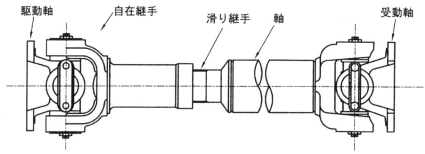

驱動軸　　自在継手　　　滑り継手　軸　　　　受動軸

プロペラシャフトの構造図

　プロペラシャフトは、軸の(①)の変化は滑り継手で逃がし、駆動軸と受動軸の(②)は自在継手で逃がす。
　滑り継手は、一般的にスプラインと呼ばれ、歯の形状は、平行な歯と歯溝からなる(③)軸又は歯面が曲線をなす(④)軸がある。
　自在継手は、2軸が(⑤)上にあって、(⑥)上にないときに使われ、交わる角度が変わっても回転を伝えられる継手である。
　軸には、(⑦)が急変している部分や歯溝のコーナ部に衝撃や繰返し荷重等による疲労でクラックが発生することがある。肉眼で見えない初期のクラックは、カラーチェック法、(⑧)等により検査し、傷のあるものは交換する。
　自在継手のスパイダベアリングの摩耗やスパイダ軸方向の(⑨)は、騒音の発生原因となり、また滑り継手ヨークと反対側のヨークとが同一方向に組み立てられていない場合は、異常振動を発生して(⑩)等の故障原因になる。

【語　群】

ア．応　力	イ．外　力	ウ．衝撃荷重
エ．取付け角度	オ．芯ずれ	カ．軸断面
キ．外観検査	ク．磁気探傷法	ケ．一直線
コ．長手方向	サ．同一平面	シ．角形スプライン
ス．遊び	セ．ベアリング破損	ソ．平行スプライン
タ．インボリュートスプライン		

問題4　油圧シリンダ単体が修理のため、整備工場に持ち込まれた。以下の設問1及び設問2に答えなさい。

設問1　点検の結果、以下に示す「作業内容及び標準作業時間」(表1)、「交換部品」(表2)が必要と判明した。
　　　　この油圧シリンダの修理見積金額の合計を算出し、解答欄に記入しなさい。
　　　　　ただし、①工賃原価は、1時間当たり6,500円とする。
　　　　　　　　　②標準作業時間及び交換部品等の原価に10％の利益を上乗せした金額で見積もることと
　　　　　　　　　　し、消費税は含めないこととする。
　　　　　　　　　③工賃原価及び表2の原価には、管理費がすでに含まれているものとする。

（表1）作業内容及び標準作業時間

作業内容	標準作業時間（H）
油圧シリンダ分解組立 〔下記作業を含まない〕	2.0
シールキット一式交換	0.5
ブッシング一式交換	1.0
シリンダロッドめっき	（外注 交換部品として扱う）
組立完了後の油漏れ試験	1.0
合　計	4.5

※フィッティング交換は油圧シリンダ分解工賃の中に含む

（表2）交換部品（めっき作業を含む）の原価

部品名等	原価(円)
シールキット一式	30,000
ブッシング一式	15,000
フィッティング	100
めっき作業（外注）	32,000
合　計	77,100

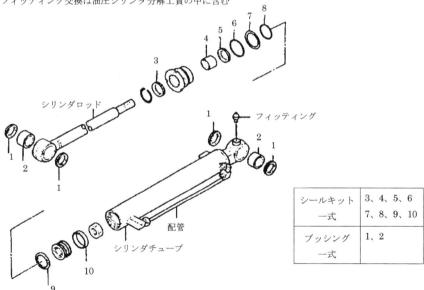

シールキット 一式	3、4、5、6 7、8、9、10
ブッシング 一式	1、2

設問2　全体の修理の利益を原価の16％に変更したい。作業費の見積り金額を設問1のとおりとした場合、
　　　　交換部品(めっき作業を含む)の合計をいくらにして見積りすればよいか算出し、解答欄に記入しなさ
　　　　い。

問題5 下図の油圧回路に関する文中の（ ① ）～（ ⑩ ）内に当てはまる語句を下記の語群より一つずつ選び、その記号（ア～ツ）を解答欄に記入しなさい。
なお、同じ記号を重複して使用してもよい。
ただし、⑨及び⑩については、最も近い数値を選びなさい。

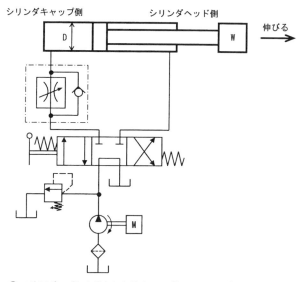

一定回転の（ ① ）油圧ポンプから送られた油は、（ ② ）によって無負荷状態になっている。

また、回路内の圧力設定は（ ③ ）によって行われている。方向制御弁をシリンダロッドが伸びる方向に切り換えると、油は方向制御弁を通過後、（ ④ ）により絞られて、（ ⑤ ）側に送り込まれる。したがって、（ ⑥ ）側には常に一定量の油が送られるため、シリンダのスピードを一定に保つことができる。このような回路を（ ⑦ ）回路という。

なお、方向制御弁をシリンダロッドが縮む方向に切り換えると、油は方向制御弁を通過後、（ ⑧ ）側に送られる。

いま、シリンダ内径Dが120 mm、リリーフバルブセット圧力が14 MPaの場合に円周率3.14とし、摩擦、通路及び機器による抵抗はないものとすると、シリンダロッドが伸びるときの押し出し力は、約（ ⑨ ） kNである。

また、ポンプの吐出量を78.5 ℓ/分とした場合に流量制御弁を全開とし、流量の損失はないものとしたときの、シリンダロッドが伸びるときのピストン速度は、約（ ⑩ ） m/分である。

【語 群】

ア．リリーフ弁	イ．定容量形	ウ．シリンダヘッド
エ．逆止め弁	オ．モータ	カ．両軸形
キ．流量調整弁	ク．シリンダキャップ	ケ．メータイン
コ．方向制御弁	サ．タンク	シ．メータアウト
ス．7	セ．17	ソ．22
タ．150	チ．158	ツ．173

建設機械整備

学科試験問題

令和5年度 技能検定

2級 建設機械整備 学科試験問題

（建設機械整備作業）

1. 試験時間　1時間40分
2. 問題数　　50題(A群25題、B群25題)
3. 注意事項
   - (1)　係員の指示があるまで、この表紙はあけないでください。
   - (2)　答案用紙(真偽法と多肢択一法の併用)に検定職種名、作業名、級別、受検番号、氏名を必ず記入してください。
   - (3)　係員の指示に従って、問題数を確かめてください。それらに異常がある場合は、黙って手を挙げてください。問題はA群(真偽法)とB群(多肢択一法)とに分かれています。
   - (4)　試験開始の合図で始めてください。
   - (5)　解答の方法(真偽法と多肢択一法の併用)は次のとおりです。
     - イ．　A群の問題(真偽法)は、一つ一つの問題の内容が正しいか、誤っているかを判断して解答してください。
     - ロ．　B群の問題(多肢択一法)は、正解と思うものを一つだけ選んで、解答してください。二つ以上に解答した場合は誤答となります。
     - ハ．　答案用紙(マークシート用紙)へ解答する際は、答案用紙に記載されている注意事項に従ってください。
     - ニ．　答案用紙の解答欄は、A群の問題とB群の問題とでは異なります。所定の解答欄に、試験問題の題数に応じて解答してください。解答欄はA群は50題まで、B群は25題まで解答できるようになっています。
   - (6)　電子式卓上計算機その他これと同等の機能を有するものは、使用してはいけません。
   - (7)　携帯電話、スマートフォン、ウェアラブル端末等は、使用してはいけません。
   - (8)　試験中、質問があるときは、黙って手を挙げてください。ただし、試験問題の内容、漢字の読み方等に関する質問にはお答えできません。
   - (9)　試験終了時刻前に解答ができあがった場合は、黙って手を挙げて、係員の指示に従ってください。
   - (10)　試験中に手洗いに立ちたいときは、黙って手を挙げて、係員の指示に従ってください。
   - (11)　試験終了の合図があったら、筆記用具を置き、係員の指示に従ってください。

［A群（真偽法）］

1　油圧ショベルのバケットをチゼルの打撃によって破砕するアタッチメントに交換すると、労働安全衛生法施行令で定める解体用機械（ブレーカ）に分類される。

2　バックホウは、根切り、溝掘り等の掘削に適している。

3　マフラーは、排気ガスの温度と圧力を下げて排気音を抑制する役目がある。

4　トランスミッションに取り付けてあるブリーザの主な機能は、放熱である。

5　ドリルは、一般に、硬い材料に対しては先端角の大きめのものを、軟らかい材料に対しては小さめのものを使用するのがよい。

6　コンロッドアライナは、コンロッドの曲がりやねじれを測定する機器である。

7　エンジンの冷却装置において、サーモスタットの全開温度が高すぎると、エンジンが過熱状態となる。

8　充電中の鉛バッテリは、水素、酸素の混合ガスを発生するので火気を近づけてはならない。

9　鋳鋼などを溶接した後、直ちにピーニングするのは、溶接による残留応力やひずみを低減させるためである。

10　ヘリサートとは、ねじ部のシール材のことである。

11　被覆アーク溶接において、運棒速度を速くすると、オーバラップを生じやすい。

12　転がり軸受にグリースを注入する場合、潤滑をよくするために空間いっぱいに満たすのがよい。

13　バッテリの電解液の比重は、同じ充電状態の場合、液温が低くなれば小さくなる。

14　天然ゴム製のパッキンは、合成ゴム製のパッキンに比べ、耐油性が優れている。

15　アルミニウムは、銅より熱膨張係数が大きい。

16　歯車の熱処理法の一つに高周波焼入れがある。

17　アスファルトとは、原油の蒸留により得られるれき青を主とする固体又は半固体のものである。

18 ラジアル軸受は、荷重が軸方向に働くところに使用する。

19 セタン価の大きい燃料ほどディーゼルノックを起こしやすい。

20 静止摩擦係数は、一般に、動摩擦係数よりも小さい。

21 一方向の荷重が連続的に繰り返される場合、これを交番荷重という。

22 日本産業規格(JIS)の機械製図によれば、図形の中心を表す線には細い一点鎖線を用いる。

23 電気回路で、抵抗が一定の場合は、電圧が高くなれば、流れる電流も増加する。

24 労働安全衛生法関係法令によれば、フォークリフトの定期自主検査の記録は、2年間保存すればよい。

25 ボール盤作業では、必ず、手袋を着用しなければならない。

［B群（多肢択一法)］

1　車両系建設機械に関する記述のうち、適切でないものはどれか。
　　イ　グレーダは、掘削、押し土作業のための専用機械である。
　　ロ　ブレーカは、コンクリート構造物の解体、舗装路面の破砕等に用いられる。
　　ハ　油圧ショベルは、主として掘削、積込み作業に使われる。
　　ニ　トラクタショベルには、クローラ式とホイール式とがある。

2　トルクコンバータに関する記述のうち、適切でないものはどれか。
　　イ　エンジンからのエネルギーは、ポンプインペラによって作動油の運動エネルギーに変換される。
　　ロ　作動油の運動エネルギーは、ステータによって機械的エネルギーに変換される。
　　ハ　作動油の最高圧力は、トルクコンバータの入口油圧回路のリリーフバルブによって規制されている。
　　ニ　ストールとは、過負荷によりタービンが停止した状態のことをいう。

3　ホイール式建設機械の動力伝達の流れとして、正しいものはどれか。
　　イ　エンジン⇒トランスミッション⇒トルクコンバータ⇒アクスル
　　　　⇒プロペラシャフト⇒ホイール
　　ロ　エンジン⇒トルクコンバータ⇒トランスミッション
　　　　⇒プロペラシャフト⇒アクスル⇒ホイール
　　ハ　エンジン⇒プロペラシャフト⇒トランスミッション
　　　　⇒トルクコンバータ⇒アクスル⇒ホイール
　　ニ　エンジン⇒トルクコンバータ⇒アクスル⇒トランスミッション
　　　　⇒プロペラシャフト⇒ホイール

4　下図の油圧ショベル用バケットの名称として、適切なものはどれか。

　　イ　法面バケット
　　ロ　梯形バケット
　　ハ　クラムシェルバケット
　　ニ　ドラグラインバケット

[B群（多肢択一法）]

5　下図に示す測定器の測定対象として、正しいものはどれか。

ファンクションダイヤル ｛ A 特性
　　　　　　　　　　　　C 特性

イ　振動
ロ　照度
ハ　騒音
ニ　風速

指示計

レベルダイヤル

6　ディーゼルエンジンの運転中、黒煙が多い原因として、適切なものはどれか。
　　イ　エアクリーナエレメントが目詰まりしている。
　　ロ　エンジンオイルの量が多すぎる。
　　ハ　オルタネータの発電が不十分である。
　　ニ　燃料に水が混入している。

7　ディーゼルエンジンが、低速回転域でエンジンが円滑に回転しなくなる原因として、
　適切でないものはどれか。
　　イ　アイドル回転が低すぎる。
　　ロ　燃料に空気が混入している。
　　ハ　オイルフィルタが目詰まりしている。
　　ニ　燃料噴射時期が早すぎる。

8　油圧ショベルのエンジンは動いているのにバケットレバーを操作しても全く動かな
　かった。この現象への対応として、次のうち適切でないものはどれか。
　　イ　ブームやアームレバーを操作し、ブームやアームが動くか確認した。
　　ロ　ブームやアームは動くので、バケットシリンダ回路に異常がないか調べた。
　　ハ　ブームやアーム、旋回や走行も動かないので電気回路に異常がないか調べた。
　　ニ　ブームやアーム、旋回や走行も動かず電気回路にも異常がないので、メインポ
　　　　ンプの不良と判断した。

9　シャフトなどの部品補修等に行われる硬質クロムめっきの性質として、適切でない
　ものはどれか。
　　イ　硬度が高い。
　　ロ　耐食性に優れている。
　　ハ　600 ℃程度の高温になっても硬さが変わらない。
　　ニ　耐摩耗性に優れている。

［B群（多肢択一法）］

10　文中の（　　　）内に当てはまる語句の組合せとして、適切なものはどれか。
　　　　溶接作業における（　①　）は、一般に、（　②　）や高張力鋼などの金属材料における溶接割れの防止や（　③　）、溶接部の延性や切り欠き靭性の向上に効果がある。

	①	②	③
イ	後熱	溶け込みの安定	強度の向上
ロ	予熱	炭素鋼	溶け込みの安定
ハ	ピーニング	炭素鋼	溶け込みの安定
ニ	予熱	ステンレス鋼	強度の向上

11　油圧装置の故障原因に関する記述として、適切でないものはどれか。
　　イ　アクチュエータの作動が遅い原因として、ポンプの内部摩耗が考えられる。
　　ロ　アクチュエータの作動がスムーズでない原因として、油圧回路内へのエア混入が考えられる。
　　ハ　シリンダの自然降下が大きい原因として、作動油の油量が多いことが考えられる。
　　ニ　すべてのシリンダの推力が弱い原因として、メインリリーフバルブの設定圧力低下が考えられる。

12　着火順序が1−2−4−3の4サイクル4気筒ディーゼルエンジンにおいて、第1ピストンが上死点にあり、吸排気弁が閉じている状態で、バルブクリアランスの点検・調整を行う箇所として、適切でないものはどれか。
　　イ　第1シリンダの吸気弁及び排気弁
　　ロ　第1シリンダの吸気弁及び第2シリンダの吸気弁
　　ハ　第2シリンダの排気弁及び第3シリンダの吸気弁
　　ニ　第3シリンダの吸気弁及び第1シリンダの排気弁

13　常温における銅とアルミニウムの性質の比較に関する記述のうち、適切でないものはどれか。
　　イ　引張りに対する強さは、銅が強い。
　　ロ　アルミニウムのほうが、熱の伝導性がよい。
　　ハ　同体積の場合、銅が重い。
　　ニ　銅のほうが、電気の伝導性がよい。

14　アーク溶接に関する記述のうち、適切でないものはどれか。
　　イ　被覆溶接棒は、心線とフラックスからなる。
　　ロ　フラックスの役目には、アークを安定させることと、溶けた金属を保護することがある。
　　ハ　イルミナイト系溶接棒は、フラックスにイルミナイトを含み、全姿勢で溶接でき、溶け込みは浅い。
　　ニ　溶接棒のフラックスは、吸湿しやすく、吸湿すると、溶接欠陥を生じやすい。

15 次の文中の(　　　)内に当てはまる語句の組合せのうち、適切なものはどれか。

　　　0.3％以上の炭素を含有する炭素鋼は、一般に、焼入れすると硬さは(　①　)、粘り強さは(　②　)くなる。

	①	②
イ	増し	高く
ロ	増し	低く
ハ	減り	高く
ニ	減り	低く

16 管に関する記述のうち、適切でないものはどれか。
　　イ　圧力配管用炭素鋼鋼管の呼び方は、呼び径及び呼び厚さによる。
　　ロ　スケジュールは、管の材質を指定する番号である。
　　ハ　白管は、管に亜鉛めっきを施し、耐食性を持たせたものである。
　　ニ　黒管は、亜鉛めっきを行っていない炭素鋼鋼管である。

17 次の文中の(　　)内に当てはまる角度として、正しいものはどれか。ただし、(　　)内は同じ角度が入るものとする。

　　　軸受は主としてラジアル荷重を受ける接触角が（　　　）以下のラジアル軸受、主としてアキシアル荷重を受ける接触角が（　　　）を超えるスラスト軸受に大別される。
　　イ　15°
　　ロ　30°
　　ハ　45°
　　ニ　60°

18 グリースに関する記述のうち、適切なものはどれか。
　　イ　カップグリースは、マルチパーパスグリースより耐熱性・耐水性に優れている。
　　ロ　グリースの硬さを示すちょう度は、数値が大きいほど硬いことを表す。
　　ハ　グリースは、低速回転・高荷重を受ける軸受には不向きである。
　　ニ　グリース潤滑部は、グリース自身がシールの役割を果たすため、水やゴミ等の浸入を防止するのでその部分のシール構造を簡単にできる。

［Ｂ群（多肢択一法）］

19 図のように滑車にWの荷重をかけたとき、ロープを引く力Fが次に示すどの大きさの
　　ときにつり合うか。ただし、滑車やロープの重さ及び摩擦等は無視するものとする。

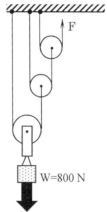

　　イ　100 N
　　ロ　200 N
　　ハ　300 N
　　ニ　400 N

20 材料の力学に関する記述として、適切でないものはどれか。
　　イ　外力の作用方向で分類すると、荷重の種類には引張荷重、圧縮荷重、せん断荷
　　　　重、ねじり荷重及び曲げ荷重がある。
　　ロ　応力とは、加えられた荷重によって材料内部に生ずる単位長さ当たりの抵抗力
　　　　をいう。
　　ハ　曲げ荷重を受けている断面では、引張応力が生じる部分と圧縮応力が生じる部
　　　　分とがある。
　　ニ　金属材料の引張試験とは、材料に外力を徐々に加え引き伸ばして、その材料が
　　　　破断するまでの荷重と伸びの関係を測定する試験をいう。

21 日本産業規格(JIS)によれば、下図に示す図記号のうち、油圧用回路に用いるリリーフ
　　弁（直動形）を表しているものはどれか。

　　　　　イ　　　　　　　ロ　　　　　　ハ　　　　　　　ニ

22　日本産業規格(JIS)の電気用図記号によれば、コンデンサを表す記号はどれか。

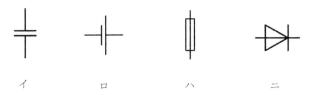

イ　　　　　ロ　　　　　ハ　　　　　ニ

23　電動機に関する記述のうち、適切でないものはどれか。
　　イ　電動機の絶縁抵抗が十分あれば、電動機のフレームは接地しなくてもよい。
　　ロ　電動機の据付けは、基礎ボルト等で十分に固定する必要がある。
　　ハ　電動機の回路に使用する遮断器は、始動電流を考慮する必要がある。
　　ニ　電動機の始動方法の一つに、全電圧始動（直入れ始動）法がある。

24　フォークリフトの定期自主検査を行ったときに、労働安全衛生法関係法令で記録を
　　義務づけていない項目はどれか。
　　イ　検査年月日
　　ロ　検査方法
　　ハ　検査箇所
　　ニ　前回の検査年月日

25　次のうち、労働安全衛生法関係法令に規定する技能講習・特別教育のいずれも必要
　　としないものはどれか。
　　イ　小型移動式クレーンの運転
　　ロ　ガス溶接
　　ハ　オフロードダンプトラックの運転
　　ニ　不整地運搬車の運転

令和4年度 技能検定

2級 建設機械整備 学科試験問題
（建設機械整備作業）

1. 試験時間　　1時間40分
2. 問題数　　　50題(A群25題、B群25題)
3. 注意事項
   (1)　係員の指示があるまで、この表紙はあけないでください。
   (2)　答案用紙(真偽法と多肢択一法の併用)に検定職種名、作業名、級別、受検番号、氏名を必ず記入してください。
   (3)　係員の指示に従って、問題数を確かめてください。それらに異常がある場合は、黙って手を挙げてください。問題はA群(真偽法)とB群(多肢択一法)とに分かれています。
   (4)　試験開始の合図で始めてください。
   (5)　解答の方法(真偽法と多肢択一法の併用)は次のとおりです。
   　　イ．　A群の問題(真偽法)は、一つ一つの問題の内容が正しいか、誤っているかを判断して解答してください。
   　　ロ．　B群の問題(多肢択一法)は、正解と思うものを一つだけ選んで、解答してください。二つ以上に解答した場合は誤答となります。
   　　ハ．　答案用紙(マークシート用紙)へ解答する際は、答案用紙に記載されている注意事項に従ってください。
   　　ニ．　答案用紙の解答欄は、A群の問題とB群の問題とでは異なります。所定の解答欄に、試験問題の題数に応じて解答してください。解答欄はA群は50題まで、B群は25題まで解答できるようになっています。
   (6)　電子式卓上計算機その他これと同等の機能を有するものは、使用してはいけません。
   (7)　携帯電話、スマートフォン、ウェアラブル端末等は、使用してはいけません。
   (8)　試験中、質問があるときは、黙って手を挙げてください。ただし、試験問題の内容、漢字の読み方等に関する質問にはお答えできません。
   (9)　試験終了時刻前に解答ができあがった場合は、黙って手を挙げて、係員の指示に従ってください。
   (10)　試験中に手洗いに立ちたいときは、黙って手を挙げて、係員の指示に従ってください。
   (11)　試験終了の合図があったら、筆記用具を置き、係員の指示に従ってください。

［A群（真偽法）］

1 ドラグラインは、主に本体の設置場所より高い所を掘削するのに適している。

2 トレンチャとは、連続溝掘機のことをいう。

3 トルクコンバータは、原動機と負荷の間に介在し、両者の間に振動や衝撃を緩衝する働きもある。

4 爆発順序が1·2·4·3の4サイクル4シリンダエンジンでは、第1ピストンが圧縮上死点のとき、第2シリンダの吸気弁のバルブクリアランスを調整することができる。

5 ドリルは、一般に、硬い材料に対しては先端切刃角の小さめのものを、軟らかい材料に対しては大きめのものを使用するのがよい。

6 ホイールローダ等に使用されるアーティキュレート機構は、変速装置の一種である。

7 ディーゼルエンジンの燃料噴射装置のプランジャやノズルは、一般に、燃料で潤滑されている。

8 ブローバイガスは、ピストンリングが摩耗すると増加する。

9 金属表面に溶融金属を吹きつけて、固体金属の被膜をつくる一種の肉盛溶射処理をメタライジングという。

10 ダストシール付きオイルシールを軸に装着する場合、ダストリップへのごみの付着を防ぐために油を塗ってはならない。

11 アセチレン酸素ガス溶接で炎が長く、赤黄色をしているのは、アセチレン過剰である。

12 焼きばめは、穴側と軸側の両方を加熱膨張させてはめ込み、冷えたとき緊着させる方法である。

13 ピストンリングの張力が小さいと、燃焼室へのオイル上がりの原因となる。

14 一般に、鋳鋼は、鋳鉄よりも炭素含有量が多い。

15 酸素は、支燃性ガスである。

16 鋼材の焼入効果は、炭素量が少ないほど大きい。

17 粘土とは、シルトと砂の中間粒度のものをいう。

［A群（真偽法）］

18　単列深溝玉軸受は、ラジアル荷重のほかにアキシアル荷重も受けられる。

19　石油製品の比重は、ガソリン、灯油、軽油、重油の順に小さくなる。

20　定常流の流体が、管の任意の断面を通る場合、断面の小さいところでは、流速が速くなる。

21　図のように丸棒に外力Pが作用している場合、斜線部に発生する圧縮応力 σ は次式により表される。ただし、斜線部で示す断面積をAとする。

$$\sigma = \frac{P}{A}$$

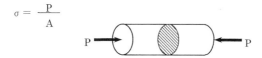

22　日本産業規格(JIS)の機械製図によれば、図形の中心線は、細い二点鎖線で表す。

23　電磁リレーのメーク接点(a接点)とは、電磁コイルに通電すると接点が閉じるものをいう。

24　労働安全衛生法関係法令によれば、車両系建設機械のエンジンマウントの取付けボルト・ナットのゆるみ及び脱落の有無については、定期自主検査の検査事項に入っている。

25　労働安全衛生法関係法令によれば、ドラグ・ショベルの特定自主検査の記録は、5年間保存しなければならない。

［B群（多肢択一法）］

1 ダンプトラック稼働現場において、トラック走行路面をグレーダ等で平たんに補修する理由として、適切でないものはどれか。
   イ　ブレーキの異常過熱を防止するため。
   ロ　運搬能率向上を図るため。
   ハ　タイヤカットを防止するため。
   ニ　トラックの修理費を少なくするため。

2 下図はトルクコンバータの内部を模式的に表したものである。図中の①②③の名称として適切な組合せはどれか。

	①	②	③
イ	ポンプ	ステータ	タービン
ロ	ステータ	タービン	ポンプ
ハ	タービン	ポンプ	ステータ
ニ	ポンプ	タービン	ステータ

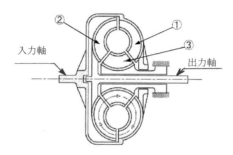

入力軸　　　出力軸

3 建設機械の装置の種類、構造及び機能に関する記述として、適切でないものはどれか。
   イ　緩衝装置のリコイルスプリングは、ホイールローダの足回りの保護に使用する。
   ロ　ディスク式制動装置は、摩擦板の数により単板式と多板式に区別される。
   ハ　油圧ショベルの旋回装置は、旋回モータの回転力をピニオンギヤを介して旋回輪のリングギヤに伝え、この反力により上部旋回体が旋回する。
   ニ　ホイール式に使用される終減速装置の役割は、変速装置からの回転速度を小さくし、より大きな回転力をホイールに伝えることである。

［B群（多肢択一法）］

4　文中の(　　)内に当てはまる語句の組合せとして、適切なものはどれか。

　　　リミテッドスリップデフの構造は、(　①　)とデファレンシャルケースの間に
　　(　②　)を入れ、その摩擦面抵抗によって左右の(　③　)が同一回転になるように
　　均衡を保ちながら差動制限する。

	①	②	③
イ	クラッチ	サイドギヤ	タイヤ
ロ	タイヤ	クラッチ	サイドギヤ
ハ	サイドギヤ	クラッチ	タイヤ
ニ	クラッチ	タイヤ	サイドギヤ

5　手工具によるねじ加工に関する記述の(　　)内に当てはまる語句の組合せとして、適切なものはどれか。

　　　おねじの場合は(　①　)加工の作業であり、めねじの場合は(　②　)による下穴加工と(　③　)立て作業である。

	①	②	③
イ	タップ	ドリル	ダイス
ロ	ドリル	ダイス	タップ
ハ	ドリル	タップ	ダイス
ニ	ダイス	ドリル	タップ

6　油圧ショベルの水冷式エンジンがオーバーヒートする原因として、適切でないものはどれか。

　　イ　ファンベルトのゆるみ
　　ロ　ラジエータの目詰まり
　　ハ　メインリリーフバルブのセット圧力の低下
　　ニ　エンジンのサーモスタットの作動不良

7　ディーゼルエンジンの運転中に黒煙が多い場合の原因として、正しいものはどれか。

　　イ　エアクリーナエレメントが目詰まりしている。
　　ロ　エンジンオイルの量が多すぎる。
　　ハ　オルタネータの発電が不十分である。
　　ニ　燃料フィルタが目詰まりしている。

8　転がり軸受に焼付きが生じる原因として、適切でないものはどれか。

　　イ　潤滑油の不足
　　ロ　軸受付近の軽い振動
　　ハ　取付け心出し不良
　　ニ　取付け時の予圧過大

9　エンジン各部の摩耗・衰損等による機能低下のために行う分解整備について、その一般的な判断基準となる記述のうち、適切でないものはどれか。

　　イ　オイル消費率がメーカー基準値より多いため、シリンダライナやピストンリングの摩耗が進んでいると判断した。

　　ロ　ブローバイガスを測定したところメーカー基準値より多く、さらに圧縮圧力も低下していたのでピストンリングの摩耗やバルブシートの当りが悪いと判断した。

　　ハ　オイル分析をしたところ、以前に比べFeとCuの濃度が多く検出されたため、ピストンリングやメタルが摩耗してきたと判断した。

　　ニ　オイル分析をしたところ以前に比べ全酸価（mgKOH／g）値が下がり、N－ペンタン不溶解分（wt%）値も下がってきたので内部の摩耗が進みオイルが汚染されていると判断した。

10　きゅうすえ法によるひずみ取りに関する記述のうち、適切でないものはどれか。

　　イ　きゅうすえ法は、板金の伸びている部分を収縮させて、ひずみを取る方法である。

　　ロ　きゅうすえ法は、周囲が固定され内部に伸びのある薄板に適している。

　　ハ　加熱は、速やかに行い、急冷する。

　　ニ　加熱する範囲は、なるべく大きくするほうが効率的である。

11　溶接作業においてひずみを少なくするための方法として、適切でないものはどれか。

　　イ　対称法とは、溶接線の中央部から外方に向かって適当な長さだけ交互に溶接する方法をいう。

　　ロ　後退法(バックステップ法)とは、溶接方向と溶着方向とが反対になるように、適当な長さずつ溶接する方法をいう。

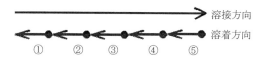

　　ハ　逆ひずみ法とは、溶接による変形を予測して溶接前に反対側にひずみを与えて溶接する方法をいう。

　　ニ　ピーニングとは、残留応力の軽減及びひずみ取りのために、溶接部を予熱あるいは後熱する方法をいう。

12　ターボチャージャ(過給機)が破損した場合の点検部位として、適切でないものはどれか。

　　イ　吸気配管

　　ロ　燃料フィルタ

　　ハ　エアクリーナ

　　ニ　オイルフィルタ

［B群（多肢択一法）］

13　熱の伝わりやすい順番に並べたものとして、適切なものはどれか。
　　　　　　伝わりやすい　⇒　伝わりにくい
　　イ　銀　⇒　銅　⇒　アルミニウム　⇒　鉄
　　ロ　銅　⇒　アルミニウム　⇒　銀　⇒　鉄
　　ハ　鉄　⇒　アルミニウム　⇒　銅　⇒　銀
　　ニ　銅　⇒　銀　⇒　アルミニウム　⇒　鉄

14　高圧ガス容器の色に関する記述のうち、誤っているものはどれか。
　　イ　液化石油ガス容器の色は、白である。
　　ロ　水素容器の色は、赤である。
　　ハ　酸素容器の色は、黒である。
　　ニ　アセチレン容器の色は、褐色である。

15　日本産業規格(JIS)の加工方法記号によれば、加工方法を示す記号Mの説明として、適切なものはどれか。
　　イ　旋削
　　ロ　フライス削り
　　ハ　穴あけ(きりもみ)
　　ニ　形削り

16　原則として、駆動軸の回転を停止させてからでないと、うまく接続できないクラッチとして、適切なものはどれか。
　　イ　流体クラッチ
　　ロ　かみ合いクラッチ
　　ハ　円すいクラッチ
　　ニ　円板クラッチ

17　回転中の滑りがなく潤滑が不要で、軽量低騒音で使用する伝動装置として、比較的有利である方式として、次のうち最も適切なものはどれか。
　　イ　平ベルト伝動装置
　　ロ　Vベルト伝動装置
　　ハ　タイミングベルト伝動装置
　　ニ　チェーン伝動装置

18　ディーゼルエンジンの燃料に関する記述のうち、適切でないものはどれか。
　　イ　寒冷地で使用する場合の燃料として、一般に、A重油が用いられる。
　　ロ　セタン価とは、ディーゼルエンジンの燃料の着火性を表している。
　　ハ　軽油は流動点によって、特1号、1号、2号、3号及び特3号の5種類に分類される。
　　ニ　軽油に含有されている硫黄分は、A重油よりも少ない。

19 図のような一組の滑車にWの荷重をかけたとき、ロープを引く力Fはいくらのときつり合うか。ただし、滑車やロープの質量及び摩擦抵抗等は無視するものとする。

イ　100 N
ロ　200 N
ハ　300 N
ニ　400 N

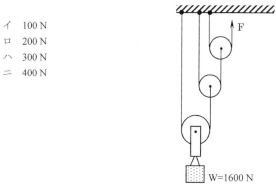

20 下図は、圧縮荷重を受ける柱を示す。座屈に強い順番に並べた場合、適切なものはどれか。

イ　① > ② > ③
ロ　① > ③ > ②
ハ　③ > ② > ①
ニ　③ > ① > ②

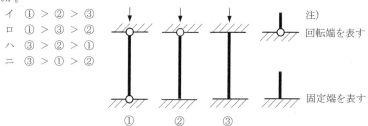

21 日本産業規格(JIS)によれば、下図に示す図記号のうち、油圧用回路に用いるフィルタを表しているものはどれか。

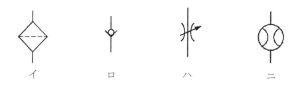

イ　　　　　ロ　　　　　ハ　　　　　ニ

22 物質の持っている電気抵抗は、抵抗率で表される。温度20℃の時の抵抗率の低い順に並べた場合、正しいものはどれか。

　　　（低）　　　⇒　　　（高）
イ　鉄　→　アルミニウム　→　銅
ロ　銅　→　アルミニウム　→　鉄
ハ　銅　→　鉄　→　アルミニウム
ニ　アルミニウム　→　鉄　→　銅

［B群（多肢択一法）］

23 誘導電動機(モータ)の絶縁の良否判定に使用される計測器として、適切なものはどれ
か。
 イ 回路計(テスタ)
 ロ 接地抵抗計(アーステスタ)
 ハ 絶縁抵抗計(メガー)
 ニ 検電器

24 次の機械のうち、特定自主検査の対象とならない機械はどれか。
 イ クレーン機能を備えた油圧ショベル
 ロ ハンドガイド式不整地運搬車
 ハ ハンドガイド式振動ローラ
 ニ ブレーカ

25 検査業者が、車両系建設機械である締固め用機械の特定自主検査を行う場合、関係
法令で定められている当該建設機械の有資格検査者の必要最低人員はどれか。
 イ 1人
 ロ 2人
 ハ 3人
 ニ 4人

令和３年度技能検定

２級 建設機械整備 学科試験問題
（建設機械整備作業）

1. 試験時間　　１時間 40 分
2. 問題数　　　50 題(A 群 25 題、B 群 25 題)
3. 注意事項
   (1)　　係員の指示があるまで、この表紙はあけないでください。
   (2)　　答案用紙(真偽法と多肢択一法の併用)に検定職種名、作業名、級別、受検番号、氏名を必ず記入してください。
   (3)　　係員の指示に従って、問題数を確かめてください。それらに異常がある場合は、黙って手を挙げてください。問題は A 群(真偽法)と B 群(多肢択一法)とに分かれています。
   (4)　　試験開始の合図で始めてください。
   (5)　　解答の方法(真偽法と多肢択一法の併用)は次のとおりです。
   　　イ．　A 群の問題(真偽法)は、一つ一つの問題の内容が正しいか、誤っているかを判断して解答してください。
   　　ロ．　B 群の問題(多肢択一法)は、正解と思うものを一つだけ選んで、解答してください。二つ以上に解答した場合は誤答となります。
   　　ハ．　答案用紙(マークシート用紙)へ解答する際は、答案用紙に記載されている注意事項に従ってください。
   　　ニ．　答案用紙の解答欄は、A 群の問題と B 群の問題とでは異なります。所定の解答欄に、試験問題の題数に応じて解答してください。解答欄は A 群は 50 題まで、B 群は 25 題まで解答できるようになっています。
   (6)　　電子式卓上計算機その他これと同等の機能を有するものは、使用してはいけません。
   (7)　　携帯電話、スマートフォン、ウェアラブル端末等は、使用してはいけません。
   (8)　　試験中、質問があるときは、黙って手を挙げてください。ただし、試験問題の内容、漢字の読み方等に関する質問にはお答えできません。
   (9)　　試験終了時刻前に解答ができあがった場合は、黙って手を挙げて、係員の指示に従ってください。
   (10)　　試験中に手洗いに立ちたいときは、黙って手を挙げて、係員の指示に従ってください。
   (11)　　試験終了の合図があったら、筆記用具を置き、係員の指示に従ってください。

［A群（真偽法）］

1　チルトドーザは、排土板の左右を上下に傾けることができるので、石や根の掘り起こしもできる。

2　バックホウは、根切り、溝掘り等の垂直壁の掘削に適している。

3　ディーゼルエンジンは、定格回転の状態で最大トルクが発生する。

4　マフラーは、排気音を消音するとともに、排気を膨張させて、温度を下げる役目もある。

5　磁粉探傷によるき裂点検は、磁粉液の毛細管現象を利用したものである。

6　エンジンの圧縮圧力の測定において、回転速度が低かったり、エンジンが冷えていると、測定値は高めにでる。

7　燃料タンクのキャップの空気穴が目詰まりすると、エンジンが停止することがある。

8　エンジンの冷却装置において、サーモスタットの全開温度が低すぎると、エンジンが過熱する。

9　溶接後、直ちにピーニングをするのは、溶接による残留応力やひずみを分散させるためである。

10　ろう付けは、母材の溶融点よりも高い温度で接合する方法である。

11　被覆アーク溶接において、運棒速度を速くすると、オーバラップを生じやすい。

12　ブルドーザの履帯の張りが強すぎると、走行抵抗が増える。

13　マイナスアース方式の建設機械において、バッテリ端子にバッテリコードを接続する場合、一般に、マイナス側から接続する。

14　金属板を曲げたりすると硬くなる現象を加工硬化という。

15　鉛蓄電池の電解液には、主として希塩酸が用いられる。

16　高周波焼入れは、鋼の任意の表面や部分を焼入れする場合に用いられる。

17　アスファルト舗装は、一般に、表層、基層及び路盤からなる。

18　歯車のバックラッシとは、一対の歯車をかみ合わせた場合の歯面間の遊びのことである。

19　セタン価の大きい燃料ほどディーゼルノックが多い。

20　塑性変形とは、材料の弾性限度内で外力によって変形することをいう。

21　呼び径、長さ及び使用する潤滑油が同じ場合、細目ねじと並目ねじでは、同じトルクで締め付けた場合、細目ねじのほうが締付け軸力が大きい。

22　日本産業規格(JIS)の機械製図によれば、対象物の見えない部分の形状は一点鎖線で表す。

23　電流は、電圧が一定のとき、抵抗が小さいほど多く流れる。

24　労働安全衛生法関係法令によれば、移動式クレーン検査証の有効期間は、原則として2年である。

25　ボール盤作業では、必ず、手袋を着用しなければならない。

［B群（多肢択一法）］

1 車両系建設機械に関する記述のうち、適切でないものはどれか。
 イ　グレーダは、掘削、押し土作業のための専用機械である。
 ロ　ブレーカは、コンクリート構造物の解体、舗装路面の破砕等に用いられる。
 ハ　油圧ショベルは、主として掘削、積込み作業に使われる。
 ニ　トラクタショベルには、クローラ式とホイール式とがある。

2 下図の油圧ショベル用バケットの名称として、適切なものはどれか。

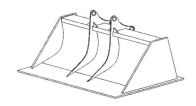

 イ　法面バケット
 ロ　梯形バケット
 ハ　クラムシェルバケット
 ニ　ドラグラインバケット

3 油圧に関する記述のうち、適切なものはどれか。
 イ　オリフィスは、長さが断面寸法に比べて比較的長い絞りである。
 ロ　チョークは、長さが断面寸法に比べて比較的短い絞りである。
 ハ　オリフィスは、チョークと異なり圧力降下は、油の粘度によって大きく影響される。
 ニ　小さなオリフィスとなった流路に針状のニードルを出し入れし、絞り量を可変とした弁をニードル弁という。

4 ホイール式建設機械の動力伝達の流れとして、正しいものはどれか。
 イ　エンジン⇒トランスミッション⇒トルクコンバータ⇒アクスル
  ⇒プロペラシャフト⇒ホイール
 ロ　エンジン⇒トルクコンバータ⇒トランスミッション
  ⇒プロペラシャフト⇒アクスル⇒ホイール
 ハ　エンジン⇒プロペラシャフト⇒トランスミッション
  ⇒トルクコンバータ⇒アクスル⇒ホイール
 ニ　エンジン⇒トルクコンバータ⇒アクスル⇒トランスミッション
  ⇒プロペラシャフト⇒ホイール

5 アセチレンガス切断装置に関する記述として、適切でないものはどれか。
 イ　溶解アセチレン容器は、使用時転倒しないように横にして使用する。
 ロ　点火時は、初めにアセチレンの弁を開いて点火する。
 ハ　アセチレンガスのゲージには、銅又は銅を70％以上含有する合金を使用しない。
 ニ　溶解アセチレンの容器の色は、褐色と定められている。

［B群（多肢択一法）］

6 ディーゼルエンジンが、低速回転域でエンジンが円滑に回転しなくなる原因として、適切でないものはどれか。

 イ　アイドル回転が低すぎる。

 ロ　燃料に空気が混入している。

 ハ　オイルフィルタが目詰まりしている。

 ニ　燃料噴射時期が早すぎる。

7 油圧ショベルのバケットが、エンジンは動いているのにレバーを操作しても全く動かなくなった。この現象への対応として、次のうち適切でないものはどれか。

 イ　ブームやアームレバーを操作し、ブームやアームが動くか確認した。

 ロ　ブームやアームは動くので、バケットシリンダ回路に異常がないか調べた。

 ハ　ブームやアーム、旋回や走行も動かないので電気回路に異常がないか調べた。

 ニ　ブームやアーム、旋回や走行も動かず電気回路にも異常がないので、メインポンプが不良と判断した。

8 油圧ポンプの駆動軸が折損する原因として、適切でないものはどれか。

 イ　原動機との取付け芯出し不良

 ロ　定格圧力以上での使用

 ハ　リリーフバルブのセット圧の低すぎ

 ニ　定格回転数以上での使用

9 文中の（　　　）内に当てはまる語句の組合せとして、適切なものはどれか。

 溶接作業における（　①　）は、一般に、（　②　）や高張力鋼などの金属材料における溶接割れの防止や（　③　）、溶接部の延性や切り欠き靱性の向上に効果がある。

	①	②	③
イ	後熱	溶け込みの安定	強度の向上
ロ	予熱	炭素鋼	溶け込みの安定
ハ	ピーニング	炭素鋼	溶け込みの安定
ニ	予熱	ステンレス鋼	強度の向上

10 溶接部の欠陥を示した図のうち、アンダカットはどれか。

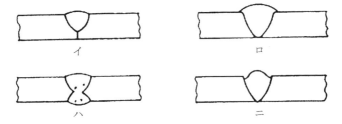

［B群（多肢択一法）］

11 着火順序が1−2−4−3の4サイクル4気筒ディーゼルエンジンにおいて、第1ピストンが上死点にあり、吸排気弁が閉じている状態で、バルブクリアランスの点検・調整を行う箇所として、適切でないものはどれか。
 イ　第1シリンダの吸気弁及び排気弁
 ロ　第1シリンダの吸気弁及び第2シリンダの吸気弁
 ハ　第2シリンダの排気弁及び第3シリンダの吸気弁
 ニ　第3シリンダの吸気弁及び第1シリンダの排気弁

12 完全充電したときの始動用鉛蓄電池(バッテリ)の電解液密度として、適切なものはどれか。
 イ　液温 20 °Cに換算して、1.080 g/cm^3
 ロ　液温 20 °Cに換算して、1.280 g/cm^3
 ハ　液温 20 °Cに換算して、1.380 g/cm^3
 ニ　液温 20 °Cに換算して、1.480 g/cm^3

13 ホワイトメタルに関する記述のうち、適切でないものはどれか。
 イ　軸受メタル、ダイカスト合金として用いられる。
 ロ　冷却の際、収縮しないので活字合金として用いられる。
 ハ　溶融点が低く、他金属と付着しやすいので、金属ろうとして用いられる。
 ニ　最も代表的なものはバビットメタルで、鉛の多いものほど高速重荷重に適している。

14 次のうち、鋼材の表面硬化の処理として、適切でないものはどれか。
 イ　高周波焼入れ
 ロ　ガス浸炭法
 ハ　窒化法
 ニ　りん酸塩皮膜処理

15 炭素鋼の熱処理に関する記述のうち、適切でないものはどれか。
 イ　焼なましは、金属を適当な温度に加熱保持の後、炉中で徐冷する操作で、内部応力除去、切削性向上を目的とする。
 ロ　焼戻しは、焼入れにより発生した内部応力を除去し、硬さを調整し、ねばり強さを増すために行う再加熱処理をいう。
 ハ　焼入れは、高温から急冷して軟化する操作をいう。
 ニ　焼ならしは、組織又は組成を均一化するために、鋼を適当な温度に加熱した後、大気中で冷却する操作をいう。

16 次のうち、同一平面内で、回転軸を直角に変える場合に使用される歯車として、適切なものはどれか。

    イ　平歯車(スパーギヤ)

    ロ　はすば歯車(ヘリカルギヤ)

    ハ　やまば歯車(ダブルヘリカルギヤ)

    ニ　かさ歯車(ベベルギヤ)

17 次の文中の（　　）内に当てはまる角度として、正しいものはどれか。ただし、（　　）内は同じ角度が入るものとする。

    軸受は主としてラジアル荷重を受ける接触角が（　　　）以下のラジアル軸受、主としてアキシアル荷重を受ける接触角が（　　　）を超えるスラスト軸受に大別される。

    イ　15°

    ロ　30°

    ハ　45°

    ニ　60°

18 グリースに関する記述のうち、適切なものはどれか。

    イ　カップグリースは、マルチパーパスグリースより耐熱性・耐水性に優れている。

    ロ　グリースの硬さを示すちょう度は、数値が大きいほど硬いことを表す。

    ハ　グリースは、低速回転・高荷重を受ける軸受には不向きである。

    ニ　グリース潤滑部は、グリース自身がシールの役割を果たすため、水やゴミ等の浸入を防止するのでその部分のシール構造を簡単にできる。

19 下図の滑車装置で、荷を1m上げるためにA点を矢印方向に引き上げる距離として正しいものはどれか。

    イ　0.5 m

    ロ　1 m

    ハ　2 m

    ニ　3 m

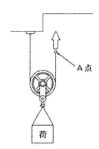

［B群（多肢択一法）］

20　材料の力学に関する記述として、適切でないものはどれか。
　　イ　外力の作用方向で分類すると、荷重の種類には引張荷重、圧縮荷重、せん断荷重、ねじり荷重及び曲げ荷重がある。
　　ロ　応力とは、加えられた荷重によって材料内部に生ずる単位長さ当たりの抵抗力をいう。
　　ハ　曲げ荷重を受けている断面では、引張応力が生じる部分と圧縮応力が生じる部分とがある。
　　ニ　金属材料の引張試験とは、材料に外力を徐々に加え引き伸ばして、その材料が破断するまでの荷重と伸びの関係を測定する試験をいう。

21　日本産業規格(JIS)によれば、下図に示す図記号のうち、油圧用回路に用いるリリーフ弁（直動形）を表しているものはどれか。

　　　　　　イ　　　　　　　　ロ　　　　　　　ハ　　　　　　　　ニ

22　次の文中の（　　）内に当てはまる語句の組合せのうち、正しいものはどれか。
　　　誘導電動機(モータ)の原理を説明するのに、（　①　）があり、親指、人差指、中指を互いに直角に開いたときに、人差指を磁力線の方向に、中指を（　②　）の方向に合わせると、親指の方向が（　③　）の方向となる。
　　　　　　　　　　①　　　　　　　　　　②　　　　　　③
　　イ　フレミングの右手の法則　　　電流　　　　電磁力
　　ロ　フレミングの右手の法則　　　電磁力　　　電流
　　ハ　フレミングの左手の法則　　　電流　　　　電磁力
　　ニ　フレミングの左手の法則　　　電磁力　　　電流

23　ヒューズに関する記述のうち、適切なものはどれか。
　　イ　ヒューズとヒューズホルダの接触が悪いと、ヒューズが溶断することがある。
　　ロ　ヒューズは、その回路に所定電流値以下の電流を流さない機能を持っている。
　　ハ　ヒューズは、その表面が酸化していても性能に影響がない。
　　ニ　ヒューズの代わりに、細い銅線を使用してもよい。

24 整備関連作業での災害原因に関する記述として、適切でないものはどれか。
　　イ　バッテリを過充電すると、水素ガス及び酸素ガスが発生して爆発することが
　　　　ある。
　　ロ　ショットブラストやサンドブラストの作業で出る鉄粉くずを、屋外に放置し
　　　　ても自然発火の恐れはない。
　　ハ　塗料かすの粉末や塗料の付着した紙くずを固めておくと、自然発火する場合
　　　　がある。
　　ニ　通気性の悪いピット内にガソリンをこぼしたまま放置すると、電気機器の火
　　　　花等により引火爆発することがある。

25 次のうち、労働安全衛生法関係法令に規定する技能講習・特別教育のいずれも必要
　　としないものはどれか。
　　イ　小型移動式クレーンの運転
　　ロ　ガス溶接
　　ハ　オフロードダンプトラックの運転
　　ニ　不整地運搬車の運転

令和5年度 技能検定

1級 建設機械整備 学科試験問題

（建設機械整備作業）

1. 試験時間　1時間40分
2. 問題数　　50題(A群25題、B群25題)
3. 注意事項
   (1)　係員の指示があるまで、この表紙はあけないでください。
   (2)　答案用紙(真偽法と多肢択一法の併用)に検定職種名、作業名、級別、受検番号、氏名を必ず記入してください。
   (3)　係員の指示に従って、問題数を確かめてください。それらに異常がある場合は、黙って手を挙げてください。問題はA群(真偽法)とB群(多肢択一法)とに分かれています。
   (4)　試験開始の合図で始めてください。
   (5)　解答の方法(真偽法と多肢択一法の併用)は次のとおりです。
   　　イ．　A群の問題(真偽法)は、一つ一つの問題の内容が正しいか、誤っているかを判断して解答してください。
   　　ロ．　B群の問題(多肢択一法)は、正解と思うものを一つだけ選んで、解答してください。二つ以上に解答した場合は誤答となります。
   　　ハ．　答案用紙(マークシート用紙)へ解答する際は、答案用紙に記載されている注意事項に従ってください。
   　　ニ．　答案用紙の解答欄は、A群の問題とB群の問題とでは異なります。所定の解答欄に、試験問題の題数に応じて解答してください。解答欄はA群は50題まで、B群は25題まで解答できるようになっています。
   (6)　電子式卓上計算機その他これと同等の機能を有するものは、使用してはいけません。
   (7)　携帯電話、スマートフォン、ウェアラブル端末等は、使用してはいけません。
   (8)　試験中、質問があるときは、黙って手を挙げてください。ただし、試験問題の内容、漢字の読み方等に関する質問にはお答えできません。
   (9)　試験終了時刻前に解答ができあがった場合は、黙って手を挙げて、係員の指示に従ってください。
   (10)　試験中に手洗いに立ちたいときは、黙って手を挙げて、係員の指示に従ってください。
   (11)　試験終了の合図があったら、筆記用具を置き、係員の指示に従ってください。

［A群（真偽法）］

1　マカダム型ロードローラは、ローム質土や粘性土の転圧に適している。

2　一般に、旋回しない履帯式不整地運搬車では、土砂を積載したときに、履帯に荷重が均等にかかるように、リアドライブ方式が多い。

3　油圧回路に設けたアキュムレータには、油圧の脈動を減衰する働きはない。

4　アスファルトフィニッシャのバーフィーダは、混合物を横方向に均一に敷き拡げる装置である。

5　染色浸透探傷試験は、一般に、金属内部のきずの探傷に採用される。

6　電圧計は負荷に対し直列に、電流計は負荷に対して並列に接続し測定する。

7　軸の破断面の検査で、貝殻状のしま模様が明らかに確認できるときには、疲労によるものと判断できる。

8　エンジンの圧縮圧力の測定は、必ずしも全シリンダについて行う必要はない。

9　ディーゼルエンジンの交流式充電装置では、レギュレータの不良により、ジェネレータのフィールドコイルに電流が流れなくなると、発生電圧が高くなる。

10　メタライジング（溶射）は、溶射金属が圧縮空気等の強い衝撃風によって吹き付けられ、溶射される物体はさほど熱せられないので、母材の熱影響が少ない。

11　ラジエータの上下タンクの温度差が著しく大きい場合の原因の一つとして、ウォータポンプが破損していることが考えられる。

12　爆発順序が1−5−3−6−2−4の直列6シリンダ、4サイクルエンジンの第2シリンダの吸気弁及び排気弁がともに開いている状態では、圧縮上死点付近にあるシリンダは第5シリンダである。

13　外周面がテーパになっているエンジンピストンリングは、外径の小さいほうを燃焼室側にして組み付ける。

14　合成樹脂には、熱硬化性のものと熱可塑性のものとがある。

15　建設機械の高張力鋼製フレームの溶接修理には、一般に、低水素系被覆アーク溶接棒が使用されている。

16　高周波焼入れは、表面硬さを増すために行われる。

［A群（真偽法）］

17　土粒子の分類によれば、粘土はシルトよりも粒径が大きい。

18　ナットがゆるむと機械の故障原因になるので、ナットは力一杯に締めるようにすべきである。

19　カップグリースは、ファイバグリースよりも耐熱性に優れている。

20　滑り摩擦における摩擦力は、接触面を垂直に押し付ける荷重に反比例する。

21　物体に外力を作用させ変形させた後、外力を取り除いても元に戻らない変形を塑性変形という。

22　日本産業規格(JIS)の機械製図によれば、想像線は、細い二点鎖線を用いる。

23　太さと長さが同じ銅線と鉄線とでは、常温では銅線のほうが電気抵抗が大きい。

24　労働安全衛生法関係法令によれば、車両系建設機械の定期自主検査の記録は、2年間保存しなければならないと規定されている。

25　つり上げ荷重5トン以上のクレーンは、クレーン運転特別教育を修了すれば運転できる。

1 　車両系建設機械の用途に関する記述のうち、適切でないものはどれか。
　　　イ　ドラグショベルは、バックホウとも呼ばれ、主として地表から下の掘削、積込みを行う。
　　　ロ　モータグレーダーは、長距離の掘削、運土、地均し作業に用いられる。
　　　ハ　コンバインドローラは、鉄輪ローラとタイヤローラを組み合わせたもので、一般に、前輪が鉄輪ローラ、後輪がタイヤローラである。
　　　ニ　トレンチャは、エンドレスチェーンなどにバケットやブレードを多数装着して回転させ、連続して溝を掘削する機械である。

2 　文中の(　　　　)に当てはまる語句として、適切なものはどれか。
　　　油圧回路のチェック弁・リリーフ弁などでバルブの入口側圧力が降下し、バルブが閉じ始めて、バルブの漏れ量がある規定量まで減少したときの圧力を(　　　　)という。
　　　イ　クラッキング圧力
　　　ロ　レシート圧力
　　　ハ　サージ圧力
　　　ニ　オーバライド圧力

3 　トランスミッションに関する記述として、適切でないものはどれか。
　　　イ　スライディングメッシュ式は、中間軸スプライン上のカップリングギヤをスライドし、ギヤを固定して速度段を選択する方式で、変速時のかみ合わせ騒音が少ない。
　　　ロ　コンスタントメッシュ式は、各軸上のギヤが常時かみ合っている方式で、歯面の損耗が少ない。
　　　ハ　シンクロメッシュ式は、摩擦クラッチを使う方式で、ギヤ周速度が同じになったときにギヤのかみ合わせを行うため、変速時のかみ合わせ騒音や歯面の欠損が少ない。
　　　ニ　クラッチパック式は、パワーシフト式に用いられ、常時かみ合いのギヤ、油圧作動クラッチパック、コントロールバルブ等で構成されている。

［B群（多肢択一法）］

4　計測器に関する記述において、（　　）内①〜④に入る語句の組合せとして、適切なものはどれか。

（　①　）は、基準寸法と測定物の微少な寸法差を測定子の動きを拡大して測定する。

（　②　）は、本尺の目盛りとバーニヤ目盛りによって、外径、内径及び深さを測定する。

（　③　）は、ねじの送り量を基準にして、ねじの斜面による拡大により長さを測定する。

（　④　）は、鋼製の薄板の組合せにより、微細な二平面の間隔を簡単にかつ正確に測定する。

	①	②	③	④
イ	マイクロメータ	シックネスゲージ	ダイヤルゲージ	ノギス
ロ	ダイヤルゲージ	マイクロメータ	ノギス	シックネスゲージ
ハ	マイクロメータ	ノギス	ダイヤルゲージ	シックネスゲージ
ニ	ダイヤルゲージ	ノギス	マイクロメータ	シックネスゲージ

5　計測器に関する記述のうち、適切でないものはどれか。

イ　ピッチゲージとは、各種の三角ねじのピッチを測定するゲージである。

ロ　コンロッドアライナとは、エンジンのコンロッドの曲がりやねじれなどを測定するのに用いられる。

ハ　デプスゲージは穴や溝の深さを測定するのに用いられる。穴の直径の測定も可能である。

ニ　クランプメータは通電状態の電線をはさみ、磁界の強さから電流値を測定する。大電流の測定も可能である。

6　工作機械に関する記述として、適切でないものはどれか。

イ　形削り盤は、ラムに取り付けたバイトを回転させ、固定された工作物を切削する。

ロ　旋盤は、工作物に回転を与え、これを刃物台に固定された刃物で切削する。

ハ　フライス盤は、刃物を回転させ、テーブル上に固定した工作物を移動することにより切削する。

ニ　横中ぐり盤は、固定された工作物の穴の内面を回転するバイトで切削する。

7　ディーゼルエンジンがノッキングを起こす原因として、適切でないものはどれか。

イ　セタン価の高い燃料を使用した。

ロ　燃料の噴射時期が早すぎる。

ハ　ノズルの燃料噴射開始圧力が低い。

ニ　シリンダの圧縮圧力が低い。

8　ディーゼルエンジンにおけるシリンダヘッドからのガス漏れ要因に関する記述のうち、適切でないものはどれか。
　　イ　噴射ノズルホルダ取り付け部の緩み
　　ロ　ヘッドガスケットのき裂
　　ハ　シリンダヘッド取付けボルトの緩み
　　ニ　カムシャフトのき裂

9　ディーゼルエンジンに取り付けられている過給機の点検、整備に関する記述のうち、適切でないものはどれか。
　　イ　ロータの回転状況確認点検は、回転中の異音を聴診するが、2～3秒毎に継続して高い音を発する場合、ロータやメタル等に不具合が発生している恐れがある。
　　ロ　新品又はオーバホールした過給機をエンジンに取り付ける前に、オイル入口穴より新しいオイルを注入し、タービン軸を手で回してフローティングメタルやスラストメタルを潤滑するとよい。
　　ハ　エンジンの排煙が白く、またオイルが減少する状況から、メタルの摩耗やシールリングの摩耗が考えられる。
　　ニ　ディーゼルエンジンに使われている一般的な過給機の組立てをする場合、タービンホイール(インペラ)は、コンプレッサ(ブロワ)ハウジング側に組み付ける。

10　溶接用語に関する記述のうち、適切でないものはどれか。
　　イ　オーバラップは、溶接金属が止端で母材に融合しないで重なった部分のことである。
　　ロ　アンダカットは、母材又は既溶接の上に溶接して生じた止端の溝のことである。
　　ハ　クレータは、溶接金属中にガスによってできた空洞のことである。
　　ニ　スパッタは、アーク溶接、ガス溶接、ろう接などにおいて、溶接中に飛散し、付着した金属粒のことである。

11　建設機械の軸受部に使われる転がり軸受の異常に関する記述のうち、適切でないものはどれか。
　　イ　かじりとは、ころの転動面等に見られ、グリースの不足等による滑り摩擦が大きくなることや焼付きで生じる場合が多い。
　　ロ　フレーキングとは、軌動面や転動面が疲れ破損を起こし、表面に細かい亀裂ができることである。
　　ハ　クリープとは、はめあい部のしめしろ不適切によって軸受が回転部で回転せずハウジングあるいは軸とのはめあい部で滑る現象をいう。
　　ニ　圧こんとは、異物を噛み込んだときなどに、軌道面または転動面に生じるへこみをいう。

［B群（多肢択一法）］

12　自動車用バッテリの点検及び調整に関する記述として、適切でないものはどれか。
　　イ　簡易的には、電圧を測定することで充電状態を知ることができる。
　　ロ　バッテリが放電して、電解液の比重が1.100程度に低下すると、－10℃前後で氷結しやすくなる。
　　ハ　バッテリを充電する場合は、バッテリ容量の2倍程度の電流で充電する必要がある。
　　ニ　バッテリの充電状態は、電解液比重を測定することにより知ることができる。

13　建設機械に使用する材料の性質に関する記述のうち、適切でないものはどれか。
　　イ　ケルメットメタルの主成分は、すずと鉛である。
　　ロ　ケルメットメタルは、ホワイトメタルよりも耐熱性に優れている。
　　ハ　銅は、鋳鉄よりも熱膨張率が大きい。
　　ニ　鋼板を、繰り返し曲げていくと硬くなるような現象を、加工硬化という。

14　被覆アーク溶接棒に関する記述のうち、適切でないものはどれか。
　　イ　一般軟鋼用には、イルミナイト系、ライムチタニア系等がある。
　　ロ　高張力鋼、厚板、重要構造物用には、主として低水素系が用いられる。
　　ハ　硬化肉盛をするときは、予熱、後熱を施す必要がある。
　　ニ　溶接棒の再乾燥温度は、低水素系よりも一般溶接棒のほうが高い。

15　金属材料の熱処理に関する記述の(　　)内に当てはまる語句として、適切なものはどれか。
　　　残留応力の除去、硬さの低下、被削性を向上させるため、一般に、適当な温度に加熱保持した後、徐冷する操作を(　　)という。
　　イ　焼戻し
　　ロ　焼なまし
　　ハ　焼入れ
　　ニ　焼ならし

16　建設工事に使用されるセメントコンクリートに関する記述として、適切なものはどれか。
　　イ　コンクリート硬化中は、表面を乾燥状態に保たなければならない。
　　ロ　ミキサで練り混ぜて一定時間静置した後に使用するのが望ましい。
　　ハ　コンクリート塊を粉砕して水を加えたものが再生コンクリートである。
　　ニ　振動ローラで締め固めできる配合のものがある。

17 一般的なディーゼルエンジンに使われるピストンリングのコンプレッションリングの特長に関する記述として、適切でないものはどれか。
    イ　プレーン型は、基本的なリング形状で気密性、熱伝導性に優れている。
    ロ　バレル・フェース型は、摺動面が円弧状になっているため初期なじみ性がよく、異常摩耗防止効果がある。
    ハ　キーストン型は、リング側面がテーパ状でピストンのリング溝も同様にテーパ加工されており、カーボンスティック防止に効果がある。
    ニ　テーパ・フェース型は、摺動面がテーパに加工されており、エキスパンダを組み込んであるためシリンダ壁に線接触し、オイルを掻き落とす性質に優れている。

18 ガソリン及び軽油に関する記述として、適切なものはどれか。
    イ　軽油は、ガソリンより発火点が高い。
    ロ　ガソリンのセタン価が高いほど、ノッキングを起こしにくい。
    ハ　軽油は、日本産業規格(JIS)で5種類に分類され、3号軽油は寒冷地用に適している。
    ニ　軽油は、原油を分留することにより得られ、分留温度は灯油より低い。

19 下図の滑車装置がつり合っているとき、力Fの値として正しいものはどれか。ただし、滑車への荷重は1000 Nとし、滑車及びロープの質量、滑車の摩擦抵抗等は無視するものとする。

    イ　167 N
    ロ　200 N
    ハ　250 N
    ニ　500 N

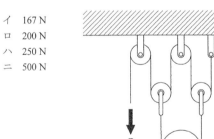
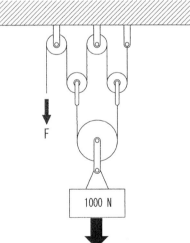

［B群（多肢択一法）］

20　下図の単純ばりの中で、最大曲げモーメントの最も大きいものはどれか。

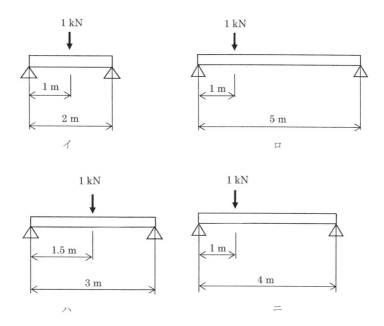

21　機械製図における線の用法に関する記述のうち、適切でないものはどれか。
　　イ　細い実線は、記述・記号などを示すための引き出し線にも用いられる。
　　ロ　細い二点鎖線は、対象物の一部を破った境界を表すのにも用いられる。
　　ハ　細い一点鎖線は、図形の中心を表すのにも用いられる。
　　ニ　破線は、対称物の見えない部分の形状を表すのにも用いられる。

22　下図のように抵抗を接続した場合のA・B間の合成抵抗値として、正しいものはどれか。
　　イ　1Ω
　　ロ　3Ω
　　ハ　5Ω
　　ニ　7Ω

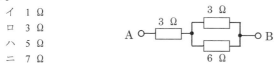

23　三相誘導電動機の始動方法のうち、同一電動機において最も始動電流の大きい方法はどれか。
　　イ　補償器始動方法
　　ロ　スター・デルタ始動方法
　　ハ　直入れ始動（全電圧始動）方法
　　ニ　リアクトル始動方法

24　次の業務のうち、特別教育を必要とする業務に該当しないものはどれか。

 イ　アーク溶接機を用いて行う金属の溶接、溶断等の業務

 ロ　低圧（直流750ボルト以下、交流600ボルト以下）の充電電路の敷設又は修理の業務

 ハ　研削といしの日常点検

 ニ　最大荷重1トン未満のフォークリフトの運転業務

25　特定自主検査に関する記述のうち、適切なものはどれか。

 イ　建設機械施工技術検定の2級2種の合格者は、検査業所属の検査者として、油圧ショベルの特定自主検査ができる資格を有する。

 ロ　2級建設機械整備技能検定合格者は、検査業所属の検査者として、車両系建設機械(コンクリート打設用を除く)の特定自主検査ができる資格を有する。

 ハ　フォークリフトや建設機械の整備業者であれば、自由に特定自主検査を業として行うことができる。

 ニ　機体質量が2.5トンの油圧ショベルは、特定自主検査を行う必要はない。

令和4年度 技能検定

1級 建設機械整備 学科試験問題

（建設機械整備作業）

1. 試験時間　1時間40分
2. 問題数　　50題(A群25題、B群25題)
3. 注意事項
   - (1)　係員の指示があるまで、この表紙はあけないでください。
   - (2)　答案用紙(真偽法と多肢択一法の併用)に検定職種名、作業名、級別、受検番号、氏名を必ず記入してください。
   - (3)　係員の指示に従って、問題数を確かめてください。それらに異常がある場合は、黙って手を挙げてください。問題はA群(真偽法)とB群(多肢択一法)とに分かれています。
   - (4)　試験開始の合図で始めてください。
   - (5)　解答の方法(真偽法と多肢択一法の併用)は次のとおりです。
     - イ．　A群の問題(真偽法)は、一つ一つの問題の内容が正しいか、誤っているかを判断して解答してください。
     - ロ．　B群の問題(多肢択一法)は、正解と思うものを一つだけ選んで、解答してください。二つ以上に解答した場合は誤答となります。
     - ハ．　答案用紙(マークシート用紙)へ解答する際は、答案用紙に記載されている注意事項に従ってください。
     - ニ．　答案用紙の解答欄は、A群の問題とB群の問題とでは異なります。所定の解答欄に、試験問題の題数に応じて解答してください。解答欄はA群は50題まで、B群は25題まで解答できるようになっています。
   - (6)　電子式卓上計算機その他これと同等の機能を有するものは、使用してはいけません。
   - (7)　携帯電話、スマートフォン、ウェアラブル端末等は、使用してはいけません。
   - (8)　試験中、質問があるときは、黙って手を挙げてください。ただし、試験問題の内容、漢字の読み方等に関する質問にはお答えできません。
   - (9)　試験終了時刻前に解答ができあがった場合は、黙って手を挙げて、係員の指示に従ってください。
   - (10)　試験中に手洗いに立ちたいときは、黙って手を挙げて、係員の指示に従ってください。
   - (11)　試験終了の合図があったら、筆記用具を置き、係員の指示に従ってください。

[A群（真偽法）]

1　ドラグラインは、掘削半径が大きく、水中を掘削するのにも適している。

2　アースドリル及びリバースサーキュレーションドリルは、主として、場所打ちくい工法に使用される基礎工事用機械である。

3　ROPS(ロプス)とは、ブルドーザ等の土木機械の転倒時における「運転者」の保護構造規格である。

4　油圧回路に設けたアキュムレータは、油圧の脈動を減衰する働きがある。

5　外側マイクロメータを使用しないときは、スピンドルとアンビルを強く密着させておく。

6　ブローバイチェッカを使用してエンジンのブローバイ圧力を測定するには、スタータのみでエンジンを回転させて行う。

7　バケットのツースやカッティングエッジは、一般に、砂地で使用するよりもシルト質で使用するほうが摩耗が早い。

8　コンロッドベアリングのクラッシュハイトが基準値より小さいと、ベアリングハウジングとベアリングメタルとの密着が悪くなり熱伝導不良となり、焼き付きを起こす原因となる。

9　油圧装置において、チャタリングとは、油圧の圧力変動に伴い弁が弁座を連続的にたたいて比較的高い音を発生する現象をいう。

10　ショットピーニングとは、熱処理後の鋼の肌をきれいにする処理である。

11　交流溶接機は、直流溶接機よりもアークの安定性がよいので、薄板、軽合金、ステンレス鋼等の溶接に使用されている。

12　日本産業規格(JIS)によれば、Oリングで、呼び番号が" P50 "の" P "は、運動用であることを表している。

13　エンジンのバルブクリアランスを少なくすると、バルブの開いている時間が短くなる。

14　アルミニウム合金の溶接は、一般に、炭酸ガスアーク溶接(CO_2溶接)が用いられる。

15　鉛フリーはんだとは、鉛をほとんど含まないはんだのことである。

［A群（真偽法）］

16 一般に焼戻しとは、焼入れした鋼に粘りを与えたり、残留応力を除いたりするための熱処理方法である。

17 モルタルを作る場合、セメントと砂の混合比は、一般に、容積比でセメント2に対し砂1にする。

18 非金属ガスケットは、金属ガスケットよりも高温、高圧用として使用される。

19 エンジンオイル10Wの"W"は、ウォータの略で耐水性のよいことを示している。

20 三角形の重心は、各頂点とそれぞれの対辺の中点とを結んだ線分(中線)の交点にある。

21 材料の断面積が一定であれば、引張荷重が変わっても引張応力は変わらない。

22 日本産業規格(JIS)によれば、下図は現場溶接の補助記号である。

23 周波数f(Hz)は、周期をT(s)とすると次式により表される。

$$f = \frac{1}{T}$$

24 労働安全衛生法関係法令によれば、くい打機の巻上げ用ワイヤロープについては、直径の減少が公称径の7%をこえるものは使用してはならない。

25 労働安全衛生法関係法令によれば、車両系建設機械の圧縮圧力、弁すき間、その他原動機の異常の有無については、一年以内ごとに一回、定期に自主検査を行わなければならない。

［B群（多肢択一法）］

1　車両系建設機械に関する記述として、誤っているものはどれか。
　　イ　車両系建設機械の安定度は、度数の大きいほうが転倒しやすいことを示している。
　　ロ　ブルドーザでは、グローサシューと三角シューを比較した場合、三角シューのほうが軟弱地に適している。
　　ハ　コンバインドローラとは、鉄輪とタイヤローラのそれぞれの特性をもち、1台で路盤工事からアスファルト表層仕上げまで施工できる。
　　ニ　機械が原動機等の能力を元にした計算上の登坂できる最大傾斜角度を登坂能力という。

2　建設機械の用途に関する記述のうち、適切でないものはどれか。
　　イ　コンクリートポンプは、フレッシュコンクリート（生コン）を圧送する機械である。
　　ロ　コンクリートフィニッシャは、コンクリート舗装を破砕する機械である。
　　ハ　ロードスタビライザは、路盤を強化する機械である。
　　ニ　トラックミキサには、ウェット方式とドライ方式がある。

3　プロペラシャフトに関する記述のうち、適切でないものはどれか。
　　イ　スプライン部は、軸や機器の間隔変化を吸収する役目をしている。
　　ロ　振れが大きいと、ユニバーサルジョイントのベアリング部の摩耗を早める。
　　ハ　両端のヨークの組付け方向は、同一方向(同一平面)に組み付ける。
　　ニ　ユニバーサルジョイントは、一直線上にない回転軸には使えない。

4　ディーゼルエンジンがディーゼルノックを起こした場合、その原因や生じる現象として、適切でないものはどれか。
　　イ　燃焼最高圧力が高くなり、機械の振動が増大する。
　　ロ　着火遅れが生じている可能性がある。
　　ハ　燃焼が不完全になり、煙が出る。
　　ニ　平均有効圧力は増大し、発生馬力も増加する。

5　工具に関する記述のうち、適切でないものはどれか。
　　イ　めがねレンチは、オフセットレンチとも呼ばれる。
　　ロ　アジャスタブルレンチは、モンキレンチとも呼ばれる。
　　ハ　スタッビドライバは、貫通ドライバとも呼ばれる。
　　ニ　ウォータポンププライヤは、あごの調整が数段に調整でき、小さなものから大きなものまでくわえることができる。

［B群（多肢択一法）］

6　移動式クレーンなどで使用されるワイヤロープで、繊維心入りワイヤロープと比べた鋼心入りワイヤロープの特徴として、適切でないものはどれか。
　　イ　破断強度が大きい。
　　ロ　つぶれにくい。
　　ハ　衝撃や振動を吸収する。
　　ニ　耐熱性に優れている。

7　ディーゼルエンジンに関する記述のうち、適切でないものはどれか。
　　イ　エンジンオイルの汚れが早い原因に、ピストンリング又はシリンダの摩耗が考えられる。
　　ロ　エンジンの排気色が白くなる原因に、エアエレメント又はブリーザーエレメントの目詰まり、ターボチャージャの焼付き、噴射ノズルの噴霧不良等がある。
　　ハ　エンジンがハンチングや不安定な回転を生ずる原因に、燃料フィルター又はフィードポンプストレーナの目詰まり、噴射ノズルの目詰まり等がある。
　　ニ　主クラッチ又はトランスミッションダンパー室にオイルが漏れ出す原因に、エンジンリアシールのシール面等の摩耗・損傷等がある。

8　油圧ショベルの走行についての故障現象と原因に関する記述のうち、適切でないものはどれか。
　　イ　走行モータのドレン量が多くなると、ドレン量の多い側の走行モータの回転が速くなる。
　　ロ　走行が蛇行する原因の一つに、走行ブレーキバルブのリリーフセット圧の調整不良がある。
　　ハ　センタジョイントに、内部漏れが生じると走行性能に悪影響が出る。
　　ニ　走行モータに対応するポンプの吐出量が少なくなると、走行モータの回転も遅くなる。

9　ブシュに関する記述のうち、適切でないものはどれか。
　　イ　ブシュは、利用範囲が極めて広く、軸との間に滑り運動をする部分に使用される。
　　ロ　ブシュは、その外周面が母材の中に固く保持されていなければならない。
　　ハ　軽荷重高速回転部分の焼付き防止のためには、一般に、焼入れブシュを使用する。
　　ニ　ブシュの圧入時には、はめあい面にきず、まくれ等がなく滑らかであることに注意する。

10　溶接の欠陥であるアンダカットに関する記述のうち、適切なものはどれか。
　　イ　アーク熱で溶かした金属を圧縮空気で連続的に吹き飛ばし金属表面に溝を掘る作業のことである。
　　ロ　アーク溶接をはじめるとき最初にアークを発生させることである。
　　ハ　母材又は既溶接の上に溶接して生じた止端の溝のことである。
　　ニ　溶接の止端で母材に融合しないで重なった部分のことである。

［B群（多肢択一法）］

11 油圧ショベルの油圧シリンダの自然降下量測定に関する次の記述のうち、最も適切なものはどれか。
　イ　フロントアタッチメントを規定の要領で保持したときのシリンダロッドの長さと、一定時間経過したときの長さの変化量を測定する。
　ロ　それぞれのシリンダを最大ストロークまで完全に伸長させ、一定時間経過したときのブームシリンダ縮み量を測定する。
　ハ　バケットを接地して本体を持ち上げ、一定時間経過したときの本体の降下量を測定する。
　ニ　バケットを最大の高さまで上昇させ、一定時間経過したときのバケットの降下量を測定する。

12 建設機械の油圧回路に関する記述のうち、適切でないものはどれか。
　イ　開回路(オープン回路)とは、油圧ポンプがタンクから吸い込んだ油を切換え弁などを介してアクチュエータに送り、作動後の油を切換え弁などを介しタンクに戻す回路である。
　ロ　閉回路(クローズド回路)とは、油圧ポンプが吐き出した油圧でアクチュエータを作動させ、その戻り油をそのままポンプに吸い込ませる回路である。
　ハ　圧力制御回路には、調圧回路、減圧回路、カウンタバランス回路、アクチュエータを順次作動させるシーケンス回路、アキュムレータ回路などがある。
　ニ　速度制御回路には、メータイン回路やメータアウト回路のほか、動力損失や発熱が少なく負の負荷や微動制御にも適したブリードオフ回路などがある。

13 建設機械に使用する材料の性質に関する記述として、適切でないものはどれか。
　イ　炭素鋼は、炭素量が多くなるほど焼きが入りにくくなる。
　ロ　軸の破断面に、外周の一点から貝殻状の縞模様が認められる場合は、疲労破断である。
　ハ　鋼板を繰返し曲げていくと硬くなるような現象を、加工硬化という。
　ニ　引張強さとは、定められた形状の試験片を引張ったとき、試験片が破断するまでに現れる最大応力をいう。

14 硬質クロムメッキに関する記述のうち、適切でないものはどれか。
　イ　耐食性が強い。
　ロ　摩耗係数が低い。
　ハ　硬度は、温度500～550 ℃付近で急激に低下する。
　ニ　めっき作業をするときは、熱膨張係数が高いことを考慮する必要がある。

［B群（多肢択一法）］

15 下図は炭素鋼の熱処理における温度と冷却速度の関係を示したものである。このうち、①〜④に当てはまる熱処理の組合せとして、適切なものはどれか。

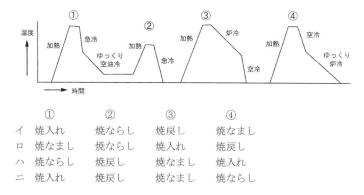

	①	②	③	④
イ	焼入れ	焼ならし	焼戻し	焼なまし
ロ	焼なまし	焼ならし	焼入れ	焼戻し
ハ	焼ならし	焼戻し	焼なまし	焼入れ
ニ	焼入れ	焼戻し	焼なまし	焼ならし

16 道路舗装及び舗装用材料に関する記述として、適切でないものはどれか。
　　イ　転圧コンクリート舗装(RCCP工法)の材料は、通常の舗装用コンクリートよりも著しく水量を減じた超硬練りのセメントである。
　　ロ　アスファルトコンクリートの材料は、アスファルトとセメントをよく混合した材料である。
　　ハ　セミブローンアスファルトは、改質アスファルトの一種で高温に加熱したストレートアスファルトに空気を吹き込み、アスファルトを軽度に酸化重合したものである。
　　ニ　排水性舗装は、空隙率の高い多孔質(空隙率20%程度の排水性混合物)のアスファルト混合物を表層又は表層・基層に用いている。

17 歯車に関する記述のうち、適切でないものはどれか。
　　イ　歯車のモジュールは、歯車の基準円直径(ピッチ円直径)を歯数で除した値に等しい。
　　ロ　サイクロイド歯車は、普通歯の部分が作りやすく広く用いられる。
　　ハ　頂げきとは、歯車をかみ合わせた時、歯先が相手側の歯底に当たらないように、歯元のたけを歯末のたけより大きく作る、その差のことをいう。
　　ニ　バックラッシとは、互いにかみ合う一対の歯車のピッチ円周上の遊びをいう。

18 エンジンオイルに関する記述のうち、適切でないものはどれか。
　　イ　温度変化に対する粘度変化の大きいことが要求される。
　　ロ　潤滑作用と同時にエンジン各部の摩擦部分の冷却作用もある。
　　ハ　一般に、冬季よりも夏季にSAE粘度番号の大きいものを使用する。
　　ニ　補給には、同一銘柄・同一クラス(APIサービス分類)のオイルがよい。

19 下図において、釣合いが取れるW_2の荷重として、適切なものはどれか。
   ただし、滑車及びロープの荷重、これらの摩擦等は無視するものとする。

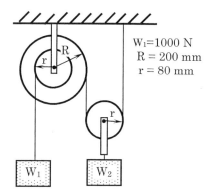

  イ 500 N
  ロ 800 N
  ハ 1000 N
  ニ 1600 N

$W_1 = 1000$ N
$R = 200$ mm
$r = 80$ mm

20 材料力学に関する記述のうち、適切でないものはどれか。
  イ 内燃機関におけるコネクティングロッドのように、荷重の向きと大きさが時間によって変わる荷重は、交番荷重である。
  ロ 弾性係数は、材料により一定で、ひずみやすい材料ほどその値は大きい。
  ハ 機械部品の切欠きの部分で、応力が他の部分より異常に大きく生じることを応力集中という。
  ニ 安全率は、材料の基準強さが許容応力の何倍になるかを示す値である。

21 次の製図に関する記述のうち、誤っているものはどれか。
  イ 破線(細い破線又は太い破線)は、対象物の見えない部分の形状を表すのに用いる。
  ロ 細い二点鎖線は、用途の一つとして、隣接部分を参考に表すなどに用いる。
  ハ 断面図の示し方で、ボルトナットなど断面すると判りにくい部品はそのまま作図する。
  ニ 寸法のうち、基準寸法については、寸法数値に括弧を付ける。

22 電線に関する記述として、適切でないものはどれか。
  イ 電圧降下とは、送電端(電源側)の電圧と受電端(負荷側)の電圧の差をいう。
  ロ 電圧降下は、電線の距離が長いほど、大きくなる。
  ハ 電圧降下は、電線の断面積が大きいほど、大きくなる。
  ニ 電圧降下は、電線に流す電流が大きいほど、大きくなる。

［B群（多肢択一法）］

23 三相誘導電動機の取扱上の注意すべき点として、適切でないものはどれか。
　　イ　周波数が低下すると電動機の速度が減少する。
　　ロ　電源電圧が低下すると始動トルクは著しく増大する。
　　ハ　電源の各相電圧が不平衡になれば、電流は増加し、過熱の原因となる。
　　ニ　運転中にヒューズの1本が溶断して単相運転となった場合、電動機は過熱焼損
　　　　のおそれがある。

24 労働安全衛生法関係法令による、車両系建設機械の定期自主検査のディーゼルエン
　　ジン本体の検査項目と検査方法の組合せとして、適切でないものはどれか。

　　　　　　検査項目　　　　　　検査方法
　　イ　エンジンの始動性　　　エンジンのかかり具合及び異音の有無を調べる。
　　ロ　エンジン回転の状態　　アイドリング時及び負荷最高回転時の回転数を調べ
　　　　　　　　　　　　　　　る。
　　ハ　過給機　　　　　　　　本体及び吸排気管接続部等からのガス漏れの有無を調
　　　　　　　　　　　　　　　べる。
　　ニ　エアクリーナ　　　　　ケースのき裂、変形及びふた部、接続管等の緩みの有無
　　　　　　　　　　　　　　　を調べる。

25 両頭グラインダ作業に関する記述のうち、適切でないものはどれか。
　　イ　研削といしについては、その日の作業を開始する前には1分以上試運転を行
　　　　う。
　　ロ　研削といしを取り替えたので、3分以上試運転を行う。
　　ハ　平形といしを使用する卓上グラインダで、たがねを研削するのに側面を使用
　　　　する。
　　ニ　試運転中は、研削といしが破壊して飛散する方向に位置することを避ける。

令和3年度技能検定

1級 建設機械整備 学科試験問題
（建設機械整備作業）

1. 試験時間　　1時間40分
2. 問題数　　　50題(A群25題、B群25題)
3. 注意事項
   (1)　係員の指示があるまで、この表紙はあけないでください。
   (2)　答案用紙(真偽法と多肢択一法の併用)に検定職種名、作業名、級別、受検番号、氏名を必ず記入してください。
   (3)　係員の指示に従って、問題数を確かめてください。それらに異常がある場合は、黙って手を挙げてください。問題はA群(真偽法)とB群(多肢択一法)とに分かれています。
   (4)　試験開始の合図で始めてください。
   (5)　解答の方法(真偽法と多肢択一法の併用)は次のとおりです。
   　　イ．　A群の問題(真偽法)は、一つ一つの問題の内容が正しいか、誤っているかを判断して解答してください。
   　　ロ．　B群の問題(多肢択一法)は、正解と思うものを一つだけ選んで、解答してください。二つ以上に解答した場合は誤答となります。
   　　ハ．　答案用紙(マークシート用紙)へ解答する際は、答案用紙に記載されている注意事項に従ってください。
   　　ニ．　答案用紙の解答欄は、A群の問題とB群の問題とでは異なります。所定の解答欄に、試験問題の題数に応じて解答してください。解答欄はA群は50題まで、B群は25題まで解答できるようになっています。
   (6)　電子式卓上計算機その他これと同等の機能を有するものは、使用してはいけません。
   (7)　携帯電話、スマートフォン、ウェアラブル端末等は、使用してはいけません。
   (8)　試験中、質問があるときは、黙って手を挙げてください。ただし、試験問題の内容、漢字の読み方等に関する質問にはお答えできません。
   (9)　試験終了時刻前に解答ができあがった場合は、黙って手を挙げて、係員の指示に従ってください。
   (10)　試験中に手洗いに立ちたいときは、黙って手を挙げて、係員の指示に従ってください。
   (11)　試験終了の合図があったら、筆記用具を置き、係員の指示に従ってください。

［A群（真偽法）］

1 アースドリル及びクローラドリルは、いずれも場所打ちぐいの打設に使用される。

2 マカダム型ロードローラは、ローム質土や粘性土の転圧に適している。

3 トルクコンバータは、出力軸の負荷が小さくなると、ストール状態となる。

4 バルブクリアランスを大きくすると、バルブの開いている時間が長くなる。

5 最小目盛が1/100 mmのダイヤルゲージは、測定子が1 mm動くと指針(長針)が1回転する。

6 染色浸透探傷試験は、一般に、金属内部のきずの探傷に採用される。

7 バッテリの電解液(希硫酸)の比重は、液温が高ければ高くなる。

8 エンジンの圧縮圧力の測定は、必ずしも全シリンダについて行う必要はない。

9 油圧回路に設けたアキュムレータは、油圧の脈動を減衰する働きもある。

10 ねじの下穴寸法は、メートル並目ねじの場合、ねじの呼び寸法からねじのピッチを差し引いて簡易計算することができる。

11 転がり軸受を油中で加熱して取り付ける場合、油の加熱温度は150℃以上が良い。

12 爆発順序が1－5－3－6－2－4の直列6シリンダ、4サイクルエンジンの第2シリンダの吸気弁及び排気弁がともに開いている状態では、圧縮上死点付近にあるシリンダは第5シリンダである。

13 ピストンリングの合い口すきまの点検は、シリンダライナの最大摩耗部で行う。

14 鋼のじん性は、その成分ばかりでなく組織によっても変わる。

15 銀ろうは、はんだよりも溶融温度が低く、機械的強度は小さい。

16 焼なましとは、焼入れした鋼のもろさを解消し、粘りを強くするための熱処理をいう。

17 土粒子の分類によれば、粘土はシルトよりも粒径が大きい。

18　モジュール6、歯数70の歯車と、モジュール6、歯数50の歯車がかみあっているとき、この両歯車の中心距離は360 mmである。

19　日本産業規格(JIS)によれば、軽油は、セタン価によって、特1号、1号、2号、3号及び特3号の5種類に分類されている。

20　滑り摩擦における摩擦力は、接触面を垂直に押し付ける荷重に反比例する。

21　物体に外力を作用させ変形させた後、外力を取り除いても元に戻らない変形を塑性変形という。

22　日本産業規格(JIS)の機械製図によれば、想像線は、細い一点鎖線を用いる。

23　太さと長さが同じ銅線と鉄線とでは、銅線のほうが電気抵抗が大きい。

24　クレーン構造規格によれば、構造部分に使用する鋼材を溶接する場合は、アーク溶接で行わなければならない。

25　労働安全衛生関係法令によれば、車両系建設機械の定期自主検査の記録は、2年間保存しなければならないと規定されている。

［B群（多肢択一法）］

1 車両系建設機械の用途に関する記述のうち、適切でないものはどれか。
 イ ドラグショベルは、バックホウとも呼ばれ、主として地表から下の掘削、積込みを行う。
 ロ モータグレーダーは、長距離の掘削、運土、地均し作業に用いられる。
 ハ コンバインドローラは、鉄輪ローラとタイヤローラを組み合わせたもので、一般に、前輪が鉄輪ローラ、後輪がタイヤローラである。
 ニ トレンチャは、エンドレスチェーンなどにバケットやブレードを多数装着して回転させ、連続して溝を掘削する機械である。

2 文中の（　　）に当てはまる語句として、適切なものはどれか。
 逆止め弁・リリーフ弁などでバルブの入口側圧力が降下し、バルブが閉じ始めて、バルブの漏れ量がある規定量まで減少したときの圧力を（　　）という。
 イ クラッキング圧力
 ロ レシート圧力
 ハ サージ圧力
 ニ オーバライド圧力

3 トランスミッションに関する記述として、適切でないものはどれか。
 イ スライディングメッシュ式は、中間軸スプライン上のカップリングギヤをスライドし、ギヤを固定して速度段を選択する方式で、変速時のかみ合わせ騒音が少ない。
 ロ コンスタントメッシュ式は、各軸上のギヤが常時かみ合っている方式で、歯面の損耗が少ない。
 ハ シンクロメッシュ式は、摩擦クラッチを使う方式で、ギヤ周速度が同じになったときにギヤのかみ合わせを行うため、変速時のかみ合わせ騒音や歯面の欠損が少ない。
 ニ クラッチパック式は、パワーシフト式に用いられ、常時かみ合いのギヤ、油圧作動クラッチパック、コントロールバルブ等で構成されている。

4 計測に関する記述のうち、適切でないものはどれか。
 イ シックネスゲージは、狭い隙間を測定するときに用いる。
 ロ ラジアスゲージは、円溝型のR部の大きさを測定するときに用いる。
 ハ 針金ゲージは、針金の直径を測定するときに用いる。
 ニ キャリパは、深さを測定するときに用いる。

5 工作機械に関する記述として、適切でないものはどれか。
 イ 形削り盤は、固定された工作物をラムに取り付けたバイトを回転させて切削する。
 ロ 旋盤は、工作物に回転を与え、これを刃物台に固定された刃物で切削する。
 ハ フライス盤は、刃物を回転させ、テーブル上に固定した工作物を移動することにより切削する。
 ニ 横中ぐり盤は、固定された工作物の穴の内面を回転するバイトで切削する。

6 エンジン出力(馬力)試験機に使用されている動力計として、適切でないものはどれか。
　　イ　ユンカース式水動力計
　　ロ　フルード式水動力計
　　ハ　整流器型電気動力計
　　ニ　渦電流型電気動力計

7 ディーゼルエンジンがノッキングを起こす原因として、適切でないものはどれか。
　　イ　セタン価の高い燃料を使用した。
　　ロ　燃料の噴射時期が早すぎる。
　　ハ　ノズルの燃料噴射開始圧力が低い。
　　ニ　シリンダの圧縮圧力が低い。

8 建設機械の修理等に関する記述として、適切なものはどれか。
　　イ　熱処理を行うとき、同一寸法・形状でも、鋼種によって焼きの入り方は違う。
　　ロ　軸の機械加工では、集中応力を受けやすい段付き部のR寸法は、小さく加工するほうがよい。
　　ハ　溶接不良のアンダカットは、運棒速度が遅過ぎて溶着金属がだれ気味になったものである。
　　ニ　溶接不良のオーバラップは、運棒速度の速過ぎなどで起こりやすい。

9 硬質クロムめっきによる修理に関する記述のうち、適切なものはどれか。
　　イ　耐食性が強いので、素材のピンホールやクラックを埋めるのに適している。
　　ロ　荷重によって、母材がひずみや変形を起こすおそれがある部品の強度を増すのに適している。
　　ハ　シールやベアリングの当たり面などの摩耗量の少ない場所に行うのに適している。
　　ニ　硬度及び耐摩耗性が極めて高いので、衝撃荷重を受ける部品に適している。

10 トルクコンバータの油温が異常に上昇した場合の原因として、適切でないものはどれか。
　　イ　負荷が低下した。
　　ロ　トルクコンバータ油量が低下した。
　　ハ　クーラが目詰まりをおこした。
　　ニ　循環流量が減少した。

［B群（多肢択一法）］

11　自動車用バッテリの点検及び調整に関する記述として、適切でないものはどれか。
　　イ　ある程度の充電状態は、電圧を測定することにより知ることができる。
　　ロ　バッテリが放電して、電解液の比重が1.100程度に低下すると、－10℃前後で氷結しやすくなる。
　　ハ　バッテリを充電する場合は、バッテリ容量の2倍程度の電流で充電する必要がある。
　　ニ　バッテリの充電状態は、電解液比重を測定することにより知ることができる。

12　エンジンのクランク軸まわりの整備に関する記述として、誤っているものはどれか。
　　イ　補修作業は、主として軸受とクランク軸の隙間修正、クランク軸の曲がり修正、オイルシール部のリップ接触面の修正などである。
　　ロ　クランク軸の曲がり量測定は、クランク軸の前後部を支えて回転させ、中央メインジャーナル部の曲がり量をインサイドマイクロメータで測定する。
　　ハ　クランク軸に摩耗や曲がりがあった場合は、アンダーカットサイズに研削修正するが、その寸法、修正方法はメーカの指示に従う。
　　ニ　軸受のメタルは裏面の密着性を維持するためクラッシュハイトと張りを持たせてあり、このためメタルの中央部を押して組み込むとひずみが発生するおそれがある。

13　建設機械に使用する材料の性質に関する記述のうち、適切でないものはどれか。
　　イ　ケルメットメタルの主成分は、すずと鉛である。
　　ロ　ケルメットメタルは、ホワイトメタルよりも耐熱性に優れている。
　　ハ　銅は、鋳鉄よりも熱膨張率が大きい。
　　ニ　鋼板を、繰り返し曲げていくと硬くなるような現象を、加工硬化という。

14　被覆アーク溶接における溶接棒の被覆剤(フラックス)の効用に関する記述のうち、適切でないものはどれか。
　　イ　心線を電気的に絶縁することにより溶融を容易にする。
　　ロ　溶融金属の精錬作用がある。
　　ハ　安定した集中性のよいアークを作る。
　　ニ　急冷を防ぐ。

15　鋼材の表面硬化に関する記述のうち、適切でないものはどれか。
　　イ　浸炭法は、浸炭剤中で適当な温度で適当な時間加熱した後、冷却する操作をいう。
　　ロ　窒化法は、窒素を含んだガスの中で行うが、高温で行うためひずみが大きいという欠点がある。
　　ハ　炎焼入れ法は、必要な箇所だけを酸素・アセチレンガス火炎等で急激に熱し、水で冷却する操作をいう。
　　ニ　高周波焼入れ法は、コイルの中に置き、周波数の高い交流電流を通し、表面を急激に加熱した後、急冷する操作をいう。

16 建設工事に使用されるセメントコンクリートに関する記述として、適切なものはどれか。
 イ　コンクリート硬化中は、表面を乾燥状態に保たなければならない。
 ロ　ミキサで練り混ぜて一定時間静置した後に使用するのが望ましい。
 ハ　コンクリート塊を粉砕して水を加えたものが再生コンクリートである。
 ニ　振動ローラで締め固めできる配合のものがある。

17 一般的なディーゼルエンジンに使われるピストンリングのコンプレッションリングの特長に関する記述として、適切でないものはどれか。
 イ　プレーン型は、基本的なリング形状で気密性、熱伝導性に優れている。
 ロ　バレル・フェース型は、摺動面が円弧状になっているため初期なじみ性がよく、異常摩耗防止効果がある。
 ハ　キーストン型は、リング側面がテーパ状でピストンのリング溝も同様にテーパ加工されており、カーボンスティック防止に効果がある。
 ニ　テーパ・フェース型は、摺動面がテーパに加工されており、エキスパンダを組み込んであるためシリンダ壁に線接触し、オイルを掻き落とす性質に優れている。

18 エンジンオイル等の潤滑油に関する記述として、適切でないものはどれか。
 イ　エンジンオイルの分類方法としては、粘度によるSAE粘度分類と性能及び用途によるAPIサービス分類がある。
 ロ　潤滑油の粘度の変化する度合いを示す数値を粘度指数といい、粘度指数の大きいものほど温度による粘度変化の度合いが少ない。
 ハ　潤滑油において金属への油膜の形成力が大きいことを油性が高いといい、粘度が高いほど油性は高くなる。
 ニ　エンジンオイルの働きには、接触面に油膜を作り摩耗を少なくする減摩作用があり、そのほか冷却作用、清浄作用などもある。

19 摩擦に関する文中の（ ）内に当てはまる語句の組合せとして、適切なものはどれか。
 机の上の物体をばね秤で引っ張ると、力が小さい状態では動きださない。この物体が静止しつづけようとする力を（ ① ）といい、更に力を大きくしていき、物体が動き出すときの力を（ ② ）という。摩擦力の大きさは、物体の接触面に作用する垂直抗力に（ ③ ）し、接触面積の大小には関係しない。

	①	②	③
イ	最大摩擦力	静止摩擦力	比例
ロ	最大摩擦力	静止摩擦力	反比例
ハ	静止摩擦力	最大摩擦力	比例
ニ	静止摩擦力	最大摩擦力	反比例

［B群（多肢択一法）］

20　重量Wのショベルを図のように、アルミブリッジの上を渡らせてトレーラに積み込もうとしている。アルミブリッジの支点間長さをL、アルミブリッジの傾斜角度をθとしたとき、アルミブリッジの最大曲げモーメントの大きさMを求める式として、正しいものはどれか。

　　ただし、求めるモーメントは、左右のアルミブリッジ2本の合計分とする。

　　イ　M＝W×L÷4
　　ロ　M＝W×$\sin \theta$×L÷4
　　ハ　M＝W×$\cos \theta$×L÷4
　　ニ　M＝W×$\tan \theta$×L÷4

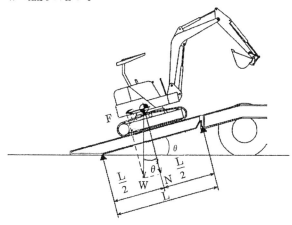

（参考）

$$\sin \theta = \frac{F}{W} \qquad \cos \theta = \frac{N}{W} \qquad \tan \theta = \frac{F}{N}$$

21　下図の溶接記号に基づく作業に関する記述のうち、適切なものはどれか。

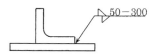

　　イ　脚長50 mm、溶接長さが300 mmの溶接を指示している。
　　ロ　1個の溶接長さが50 mm、断続のピッチが300 mmの千鳥溶接を指示している。
　　ハ　1個の溶接長さが50 mm、断続のピッチが300 mmの並列溶接を指示している。
　　ニ　1個の溶接長さを50〜300 mmの範囲で、適切な長さを選択してよいことを指示している。

22 次の回路の直流電流計の指示として、適切なものはどれか。ただし、直流電流計の内部抵抗は無視するものとする。

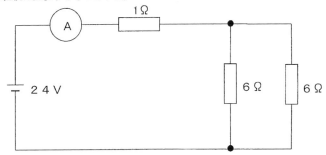

　イ　2A
　ロ　4A
　ハ　6A
　ニ　8A

23 バッテリ(蓄電池)の特徴として、適切でないものはどれか。
　イ　バッテリは、寒冷時に放電状態となると凍結しやすい。
　ロ　電解液の比重は、放電すると小さくなる。
　ハ　バッテリ用希硫酸に純度の低いものを用いると、正極板の腐食作用を早め寿命を短くする。
　ニ　充電が進んでバッテリが完全充電状態に近づくと、負極板から酸素ガス、正極板から水素ガスが発生する。

24 文中の(　　)内に入る数値として、適切なものはどれか。
　　　クレーン又は移動式クレーンを自動的に停止させる過負荷防止装置にあっては、その作動精度は(　　)%以内でなければならない。
　イ　−10
　ロ　± 0
　ハ　＋10
　ニ　＋20

25 特定自主検査に関する記述として、適切なものはどれか。
　イ　建設機械施工技術検定の2級2種の合格者は、検査業所属の検査者として、油圧ショベルの特定自主検査ができる資格を有する。
　ロ　2級建設機械整備技能士は、検査業所属の検査者として、車両系建設機械の特定自主検査ができる資格を有する。
　ハ　特定自主検査を業として行おうとする検査業者は、都道府県労働局に所定の手続を行い、許可を得なければならない。
　ニ　機体重量が2トンの油圧ショベルは、特定自主検査を行う必要はない。

建設機械整備

正解表

令和5年度　2級　実技試験（計画立案等作業試験）正解表
建設機械整備（建設機械整備作業）

問題番号	正 解				
1	①	②	③	④	⑤
	16	4	14	6	5
	⑥	⑦	⑧	⑨	⑩
	12	19	13	18	9

問題番号	正 解			
2	①	②	③	④
	コ	ア	キ	ウ
	⑤	⑥	⑦	⑧
	シ	コ	オ	サ

問題番号 3

設問1	
ウ	カ

設問2			
①	②	③	④
ウ	サ	ソ	シ

※設問1は、順不同可。

問題番号	正 解				
4	(1)	(2)	(3)	(4)	(5)
	オ	キ	エ	サ	イ
	(6)	(7)	(8)	(9)	(10)
	ス	ケ	ク	セ	ケ

問題番号	正 解				
5	①	②	③	④	⑤
	オ	エ	ケ	ウ	ク

令和4年度　2級　実技試験（計画立案等作業試験）正解表
建設機械整備（建設機械整備作業）

問題番号	正　　解

1

①	②	③	④	⑤
ウ	コ	ク	エ	ケ
⑥	⑦	⑧	⑨	⑩
ケ	セ	ト	ソ	オ
⑪	⑫※1	⑬※1	⑭※2	⑮※2
ヌ	ノ	ハ	タ	ニ

※1　「⑫と⑬」は順不同。
※2　「⑭と⑮」は順不同。

2

①	②	③	④	⑤
B	A	A	B	B
⑥	⑦	⑧	⑨	⑩
C	C	D	C	A

3

①	②	③	④
サ	シ	オ	イ
⑤	⑥	⑦	⑧
ウ	エ	ク	コ

4

①	②	③	④	⑤
キ	カ	エ	ケ	ク

5

①	②	③	④	⑤
ケ	ウ	オ	カ	イ
⑥	⑦	⑧	⑨	⑩
ケ	ウ	ク	イ	カ

令和3年度　2級　実技試験（計画立案等作業試験）正解表
建設機械整備（建設機械整備作業）

問題番号	正　　解
1	<table><tr><td>①</td><td>②</td><td>③</td><td>④</td><td>⑤</td></tr><tr><td>エ</td><td>カ</td><td>イ</td><td>ケ</td><td>キ</td></tr></table>

問題1

①	②	③	④	⑤
エ	カ	イ	ケ	キ

問題2

①	②	③	④※	⑤※
オ	キ	サ	ケ	コ
⑥	⑦	⑧	⑨	⑩
ア	イ	ス	セ	ク

※④と⑤は、順不同可。

問題3

①	②	③	④	⑤
イ	ウ	ク	イ	オ
⑥	⑦	⑧	⑨	⑩
イ	カ	キ	エ	ウ

問題4

①	②	③	④	⑤
オ	ア	ウ	カ	エ

問題5

設問1※	
ウ	カ

※設問1は、順不同可。

設問2			
①	②	③	④
ウ	サ	ソ	シ

令和5年度　1級　実技試験（計画立案等作業試験）正解表
建設機械整備（建設機械整備作業）

問題番号	正　　　解
1	**設問1** | ①	②	③	④	⑤	⑥
イ	ウ	ア	エ	オ	カ	 **設問2** 問1　1,011　N・m 問2　191　kW 問3　42.9　kg/h 問4　225　g/kW・h

設問1

①	②	③	④	⑤	⑥
イ	ウ	ア	エ	オ	カ

設問2

問1	1,011	N・m
問2	191	kW
問3	42.9	kg/h
問4	225	g/kW・h

問題番号 2

①	②	③※	④※	⑤
カ	キ	カ	サ	ク
⑥	⑦	⑧	⑨	⑩
オ	カ	サ	エ	シ
⑪				
ス				

※③、④は順不同。

問題番号 3

(1)	(2)	(3)	(4)	(5)
ト	オ	ノ	キ	ス
(6)	(7)	(8)	(9)	
ナ	ク	チ	シ	

問題番号 4

設問1	設問2
116,985円	91,191円

問題番号 5

設問1	設問2	設問3※		設問4
ク	エ	イ	キ	カ

※設問3は、順不同可。

令和4年度　1級　実技試験（計画立案等作業試験）正解表
建設機械整備（建設機械整備作業）

問題番号	解　答　欄

問題番号 1

7トン	4トン
イ	キ

問題番号 2

設問1

①	②	③	④	⑤	⑥	⑦	⑧
ケ	エ	オ	ク	エ	オ	エ	ケ

設問2※

イ	エ	オ	カ

※設問2については順不同。

問題番号 3

①	②	③	④	⑤
セ	ス	ケ	キ	コ
⑥	⑦	⑧	⑨	⑩
ソ	ク	ケ	キ	チ

問題番号 4

①	②	③	④	⑤
イ	ケ	オ	サ	タ
⑥	⑦	⑧	⑨	⑩
ウ	エ	ウ	エ	ト

問題番号 5

設問1	設問2
62,780 円	14,356 円

令和3年度　1級　実技試験（計画立案等作業試験）正解表
建設機械整備（建設機械整備作業）

問題番号	正　　解				
1	①	②	③	④	⑤
	オ	カ	エ	オ	サ
	⑥	⑦	⑧	⑨	⑩
	セ	ソ	ク	セ	シ
2	①	②	③	④	⑤
	シ	コ	セ	ア	イ
	⑥	⑦	⑧	⑨	⑩
	コ	チ	オ	エ	キ
3	①	②	③	④	⑤
	コ	オ	シ	タ	サ
	⑥	⑦	⑧	⑨	⑩
	ケ	カ	ク	ス	セ

問題番号	正　　解	
4	設問1	設問2
	116,985円	91,191円

問題番号	正　　解				
5	①	②	③	④	⑤
	イ	コ	ア	キ	ク
	⑥	⑦	⑧	⑨	⑩
	ク	ケ	ウ	チ	ス

令和5年度　2級　学科試験正解表
建設機械整備（建設機械整備作業）

真偽法

番号	1	2	3	4	5
正解	○	○	○	×	○

番号	6	7	8	9	10
正解	○	○	○	○	×

番号	11	12	13	14	15
正解	×	×	×	×	○

番号	16	17	18	19	20
正解	○	○	×	×	×

番号	21	22	23	24	25
正解	×	○	○	×	×

択一法

番号	1	2	3	4	5
正解	イ	ロ	ロ	イ	ハ

番号	6	7	8	9	10
正解	イ	ハ	ニ	ハ	ロ

番号	11	12	13	14	15
正解	ハ	ロ	ロ	ハ	ロ

番号	16	17	18	19	20
正解	ロ	ハ	ニ	イ	ロ

番号	21	22	23	24	25
正解	ニ	イ	イ	ニ	ハ

令和4年度　2級　学科試験正解表
建設機械整備（建設機械整備作業）

真偽法

番号	1	2	3	4	5
正解	×	○	○	×	×

番号	6	7	8	9	10
正解	×	○	○	○	×

番号	11	12	13	14	15
正解	○	×	○	×	○

番号	16	17	18	19	20
正解	×	×	○	×	○

番号	21	22	23	24	25
正解	○	×	○	○	×

択一法

番号	1	2	3	4	5
正解	イ	ニ	イ	ハ	ニ

番号	6	7	8	9	10
正解	ハ	イ	ロ	ニ	ニ

番号	11	12	13	14	15
正解	ニ	ロ	イ	イ	ロ

番号	16	17	18	19	20
正解	ロ	ハ	イ	ロ	ハ

番号	21	22	23	24	25
正解	イ	ロ	ハ	ロ	ロ

令和3年度　2級　学科試験正解表
建設機械整備（建設機械整備作業）

真偽法

番号	1	2	3	4	5
正解	○	○	X	○	X

番号	6	7	8	9	10
正解	X	○	X	○	X

番号	11	12	13	14	15
正解	X	○	X	○	X

番号	16	17	18	19	20
正解	○	○	○	X	X

番号	21	22	23	24	25
正解	○	X	○	○	X

択一法

番号	1	2	3	4	5
正解	イ	イ	ニ	ロ	イ

番号	6	7	8	9	10
正解	ハ	ニ	ハ	ロ	ニ

番号	11	12	13	14	15
正解	ロ	ロ	ニ	ニ	ハ

番号	16	17	18	19	20
正解	ニ	ハ	ニ	ハ	ロ

番号	21	22	23	24	25
正解	ニ	ハ	イ	ロ	ハ

令和5年度　1級　学科試験正解表
建設機械整備（建設機械整備作業）

真偽法

番号	1	2	3	4	5
正解	X	X	X	X	X

番号	6	7	8	9	10
正解	X	○	X	X	○

番号	11	12	13	14	15
正解	○	○	○	○	○

番号	16	17	18	19	20
正解	○	X	X	X	X

番号	21	22	23	24	25
正解	○	○	X	X	X

択一法

番号	1	2	3	4	5
正解	ロ	ロ	イ	ニ	ハ

番号	6	7	8	9	10
正解	イ	イ	ニ	ニ	ハ

番号	11	12	13	14	15
正解	ロ	ハ	イ	ニ	ロ

番号	16	17	18	19	20
正解	ニ	ニ	ハ	ハ	ロ

番号	21	22	23	24	25
正解	ロ	ハ	ハ	ハ	ロ

令和4年度　1級　学科試験正解表
建設機械整備（建設機械整備作業）

真偽法

番号	1	2	3	4	5
正解	○	○	○	○	X

番号	6	7	8	9	10
正解	X	X	○	○	X

番号	11	12	13	14	15
正解	X	○	X	X	○

番号	16	17	18	19	20
正解	○	X	X	X	○

番号	21	22	23	24	25
正解	X	○	○	○	○

択一法

番号	1	2	3	4	5
正解	イ	ロ	ニ	ニ	ハ

番号	6	7	8	9	10
正解	ハ	ロ	イ	ハ	ハ

番号	11	12	13	14	15
正解	イ	ニ	イ	ニ	ニ

番号	16	17	18	19	20
正解	ロ	ロ	イ	ロ	ロ

番号	21	22	23	24	25
正解	ニ	ハ	ロ	ロ	ハ

令和3年度　1級　学科試験正解表
建設機械整備（建設機械整備作業）

真偽法

番号	1	2	3	4	5
正解	X	X	X	X	○

番号	6	7	8	9	10
正解	X	X	X	○	○

番号	11	12	13	14	15
正解	X	○	X	○	X

番号	16	17	18	19	20
正解	X	X	○	X	X

番号	21	22	23	24	25
正解	○	X	X	○	X

択一法

番号	1	2	3	4	5
正解	ロ	ロ	イ	ニ	イ

番号	6	7	8	9	10
正解	ハ	イ	イ	ハ	イ

番号	11	12	13	14	15
正解	ハ	ロ	イ	イ	ロ

番号	16	17	18	19	20
正解	ニ	ニ	ハ	ハ	ハ

番号	21	22	23	24	25
正解	ロ	ハ	ニ	ハ	ロ

> ・本書掲載の試験問題及び解答の内容についてのお問い合わせには、応じられませんのでご了承ください。
> ・その他についてのお問い合わせは、電話ではお受けしておりません。お問い合わせの場合は、内容、住所、氏名、電話番号、メールアドレス等を明記のうえ、郵送、FAX、メール又は Web フォームにてお送りください。
> ・試験問題について、都合により一部、編集しているものがあります。

令和3・4・5年度

1・2級 技能検定　試験問題集　94　建設機械整備

令和6年4月　初版発行

監　修　中央職業能力開発協会

発　行　一般社団法人 雇用問題研究会

〒103-0002　東京都中央区日本橋馬喰町1-14-5 日本橋Kビル2階
TEL　03-5651-7071（代）　FAX　03-5651-7077
URL　https://www.koyoerc.or.jp

印　刷　株式会社ワイズ

223094

ISBN978-4-87563-693-9 C3000